新宿・歌舞伎町

人はなぜ〈夜の街〉を求めるのか

手塚マキ

GS
幻冬舎新書
604

はじめに

歌舞伎町は欲望に忠実な街だ。心が裸になれる街だ。いや心を裸にされる街だ。

「お前は誰だ？」と突き付けられる。

職業なんかじゃない。年齢なんかじゃない。性別なんかじゃない。

私は誰だ。

気取っていたって損するだけだ。誰も見ていない。今日の欲望のままに流されることがこの街での遊びの流儀だ。上手にお金を使う必要なんてない。ただ流されるままに、使えるだけ使えばいい。誰もあなたを気にしていない。それが歌舞伎町だ。みんな自分のことで精いっぱいだ。

歌舞伎町は目指す街ではなく、漂流した末に辿り着く街だ。昨日までの自分と決別して、ただの1人の人間として再出発できる街だ。どれだけ大きな失敗や挫折があったとしても、この街では関係ない。誰にとっても敗者復活戦の街なんだ。

辿り着いてしまった歌舞伎町の住人たちは、ただの1人の人間として生きている。だから、常に「お前は誰だ？」と突き付けられる。

歌舞伎町にある店は、9割以上が10坪程度の小さい店だ。どこで飲んでも誰と飲んでも、知らない人も知っている人も巻き込んで飲むようになる。時には喧嘩になったり、時には恋をしたりして夜は永遠に続く。何軒もはしごして深夜になれば、最初に飲み始めたメンバーとは違う顔ぶれになっている。翌日になって、「昨日、なんであいつと飲んでいたんだっけ？」なんてことはしょっちゅうある。

歌舞伎町で飲んでいても、名刺を出すことなんて滅多にない。どんな仕事をしているのか、なんて気にしないし、肩書なんて通用しない。誰も何者でもない。

「明日、朝早いんだよ……」なんてセリフは意味がない。

今、この場にいる人間たちに与えられた平等な「今」。

過去も未来も関係ない。「今」に集中することが、むき出しの自分をさらけ出させる。

明日のために今があるのではない。将来のために今があるのではない。

ただ今があるだけ。

過去の自分も、未来の自分も、誰かと比べての自分も関係ない。

だからこそ素の自分が受け入れられたとき、心が解放される。

あらゆる制約から解放されて、他人も自分も受け入れることができるようになったとき、人にも自分にも優しく生きることができるようになるのかもしれない。

歌舞伎町で生きている人に触れることは、誰もが気づかないふりをして胡麻化して生きているある部分を露わにするのかもしれない。

歌舞伎町の人間に触れて、自分の心を覗いてみてください。

プロローグには、２０２０年5～6月というコロナが最も猛威を振るっていた時期に、新宿区行政とホストクラブとがコロナ対策の連携に到るまでの経緯について書いています。時系列順で書いているため、当時の雰囲気を追体験するように読んでほしいと思っています。

第一部では、歌舞伎町全体の概要と歴史を、私の見てきた景色を中心に書いています。ぼんやりと知っていた歌舞伎町を、より身近に、より立体的に感じていただけたら幸いです。

第二部には、私が出会ってきた歌舞伎町で生きる市井の人々のことを書いています。実際に歌舞伎町で遊ぶ醍醐味や歌舞伎町の空気感の一端を感じて貰えたら嬉しいです。

以上のように、歌舞伎町全体の雰囲気を摑んでいただいてから、その中で生きる1人1人の人間にスポットを当てることで、歌舞伎町で生きるということをリアルに感じていただけるかと思います。

ようこそ歌舞伎町へ。

新宿・歌舞伎町／目次

図版・DTP　美創

至東新宿駅
明治通り
日清食品
四季の路
吉本興業
東京本部
テルマー湯
ゴールデン街
花園神社
パークシティ
イセタン1
マルイメン
伊勢丹
メンズ館
靖国通り

新宿・歌舞伎町MAP

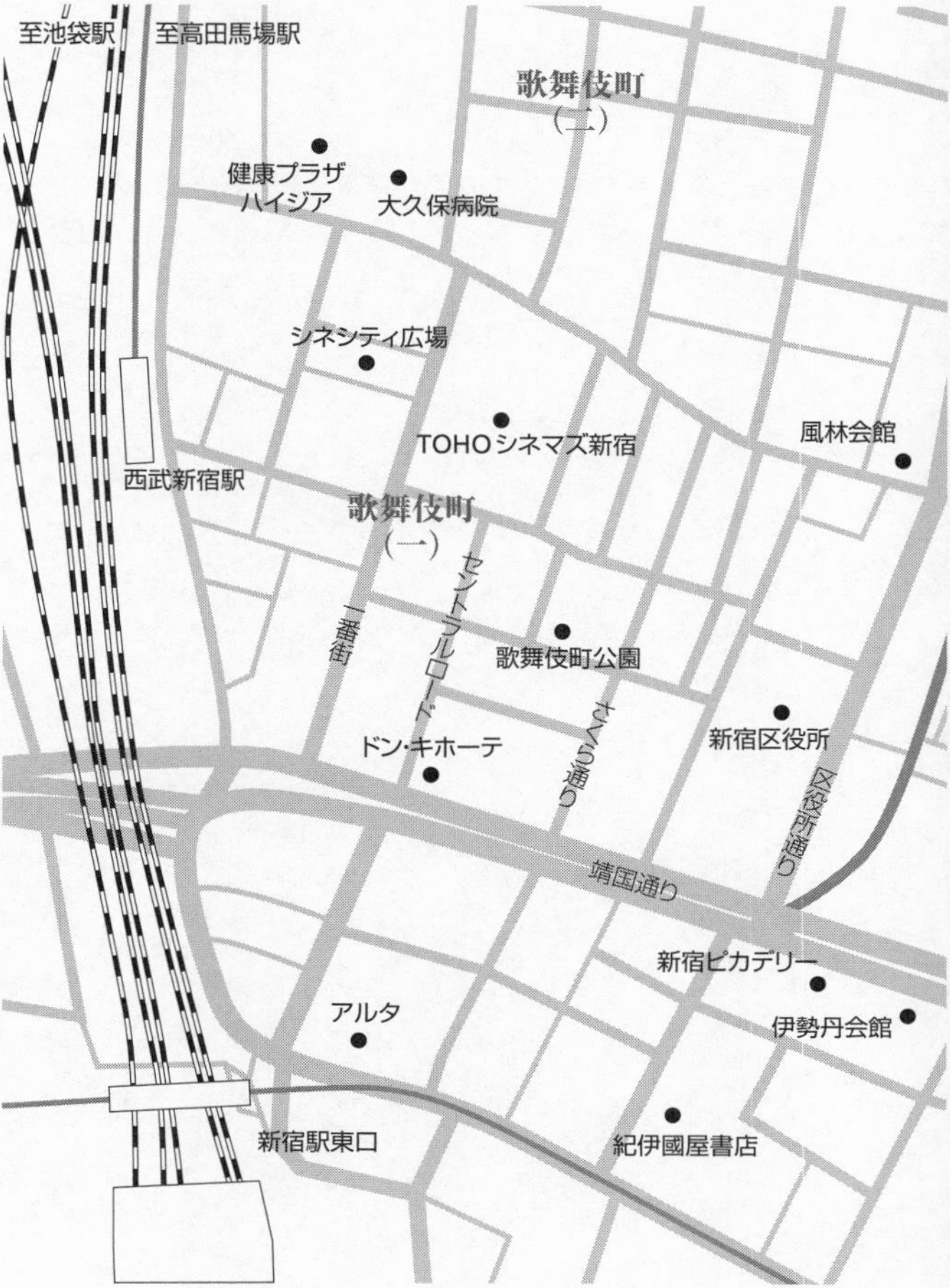
至池袋駅
至高田馬場駅
歌舞伎町
（二）
健康プラザ
ハイジア
大久保病院
シネシティ広場
TOHOシネマズ新宿
風林会館
西武新宿駅
歌舞伎町
（一）
セントラルロード
一番街
歌舞伎町公園
さくら通り
新宿区役所
ドン・キホーテ
区役所通り
靖国通り
新宿ピカデリー
伊勢丹会館
アルタ
新宿駅東口
紀伊國屋書店

プロローグ　コロナ禍の新宿区長からのメール

ホストクラブのことを教えて欲しい

２０２０年5月。緊急事態宣言下の東京では、夜の街が感染源だという報道が歌舞伎町の映像と共に連日続く。都知事も毎日のように優しい言い方と柔和な表情で、ハッキリと名指しで夜の繁華街への出入りを自粛するように促す。実際、どの業種だかわからないが、夜の街関連の感染者数が日々加算されていった。

5月25日。緊急事態宣言解除。街の雰囲気は緩くなっていった。しかし、東京都が示す「新型コロナウイルス感染症を乗り越えるためのロードマップ」のステップ3にも、我々ホストクラブは休業要請解除の業種として入っていなかった。実際、ホストクラブから感染者が出たという噂も聞いていた。

6月1日。世の中は解禁ムード。歌舞伎町のキャバクラやホストクラブもほとんどの店が営業再開を宣言した。私の経営するホストクラブのグループも同じような方針を取った。営業を再開させる目途を立てないまま、自分の店だけ休み続けさせることはできなかった。私の個人的な気持ちで言えば、もう少し緊急事態宣言を続けて欲しいと思った。再び感染症が日本中に拡がったら……、しかも歌舞伎町が感染源となったら……想像するだけで恐ろしかった。ホストクラブがやり玉に挙げられ続けることもつらかった。

にもかかわらず、私が何もできずに現実から目を背け始めてしまったときに、新宿区長から連絡が来た。会って話がしたいと言われた。

行政の力を借りて業界全体を抑え込み、さらにその上で普通の飲食店よりも徹底した感染予防対策を取ることができれば、業界の未来に繋がるのではないか？　歌舞伎町からクラスターを生み出さない環境整備についてのガイドラインを一緒に作れたりするのだろうか？　行政の人にお店の見回りをして貰うのはどうか？　いろいろ想像した。

自分たちではどうにもコントロールできない状況を打破するきっかけになるのではないかと私は期待をした。

翌日、私は1人で新宿区役所の区長室に伺った。区長室には、区長、保健所長、保健師、感染症対策の担当者の４人がいた。

ホストクラブはどこも営業している。私のグループも営業している。我々に対する非難から始められたらどうしようかと思い、先に詫びた。

しかし、区長からは、そこはわかっている。その上で現実的に拡大防止をどうするのがいいのか？　という具体的な話がしたいと言われた。行政に営業を止める権限はない。とにかく彼らが私に伝えたかったのは、二次感染防止の話だった。

公に営業して良いとは言えないが、現状の問題は、休業要請が解除されていないが故に、感染者が口をつぐんでしまい感染経路が追えないこと。二次感染を防ぐ方法を考えたい。でも、ホスト業界のことがよくわからない。だから、糸口がわからない。ということだった。


私は、歌舞伎町のホストクラブの現状を話した。約２４０軒あって、その多くの店舗がグループ化していること、そしてそのほとんどが企業化していること、今働いている人間たちの気質。基本的なホストクラブの現状を伝えた上で、今のコロナ禍に対してどう向き合っているのか？　報道に対してどう思っているのか？　などを素直に話した。

保健所長は、たくさんのホストたちが毎年インフルエンザの予防接種にやってくる。とても素直で可愛らしい。彼らは決して感染症を蔑《ないがし》ろにしている訳ではない、報道にあるような無責任な人間たちばかりでないことも知っている。職場を教えてくれないホストのことも責めず、彼が悪いのではない、言い淀む気持ちもわかる。と事情も察したとても優しい態度だった。コロナは若くても重症化してしまうケースだってある。私たちは彼らの健康が何よりも大事だ。とまで言ってくれた。

区長は、ホストクラブという業種を新宿の大事なひとつの仕事として認めてくれた上で、どう予防すれば継続できるのかを一緒に考えよう。とホスト業界で生きている人たちの経済的な生活面も考慮してくれた。区長は緊張感が滲んでいた。本当に歌舞伎町を感染源にしたくないという強い責任感が伝わってきた。

私は、巷に飛び交う真偽の定かでない情報ではなく、彼らから正しいコロナの情報を得られる、彼らこそ一緒にコロナ禍を生きていく方法を考えてくれる強力な味方だ。そう思った。

私の今の気持ちを他の同業者にも感じてもらい、行政側には、もっと我々のことを知ってもらう。そのためには直接お互いの顔が見える存在になることが信頼関係を作る最短ルートだと思った。

区長に、翌日と翌々日のホストクラブ経営者たちが動きやすい夕方に時間を作ってくださいとお願いした。何があっても時間を空けますと即答してくれた。彼らの熱意があれば、必ず伝わる、官民一体でコロナ禍を乗り切る連帯を作れると思った。

ホストクラブに根強くある行政への不信

早速事務所に戻り意気揚々と何人かのホストクラブ経営者に電話を掛けた。

新宿区は味方だ、我々と利害が一致している。現実的に感染拡大をさせたくない。そして名指しで風評を作られたくない。この2点だ。そのために保健所の調査に協力しよう。それだけだ。明日か明後日、区役所に来て、直接区長たちの話を聞いて欲しい。そう伝えた。

まったく賛同を得られなかった。

行政と手を組んで手のひら返しされたらどうするんだ。今までも手のひら返しされたことがあった。

どう世間に言われようが、現状営業できているから余計なことはしたくない。

感染拡大に加担しなければいいだけだ。

感染予防の徹底はしている。それだけで十分なのでは？　あえて藪蛇になるかもしれない行動をする意味があるのか？

下手に保健所に言えば、正式に発生場所と認定されてしまい、名指しされ、店も公表される。だったら職業も住所も適当に言っといた方がいい。

高熱が出た人間を検査させようとしても受けさせて貰えなかった。だから自分たちでホテルに隔離したりしてきた。実際に感染者が出たところは店を閉めて、消毒して様子を見て、元気なスタッフで再開をする。ということもしてきた。

実際に一番困っているときに検査を受けさせて貰えなかった。今はもう平気だと思っているから別にいい。

また昔みたいに地下に潜ればいいだけだ。悪者扱いされることには慣れている。

リアルな現場の声だった。

日陰者としてやってきた強さだ。自分たちの命は自分たちで守る。

私が好きだと言い続けてきた歌舞伎町。20年以上いて、どこの派閥にも属してこなかった私だからこそできることがある。感染症の勉強にも熱心に取り組んだ。この状態を見て見ぬふりはできない。

多少ごり押しで話を聞いてくれた二つの後輩グループだけが、翌日来てくれそうな雰囲気だった。

深夜2時になっていた。思案に暮れた。みな行政に期待なんてしていないことを改めて痛感した。そもそもみなの認識は、行政というか公的な機関はすべて一緒くたにして取り締まる側とし、自分たちは取り締まられる側というものだった。そのため都知事があれだけ我々を敵視しているのだから、今更新宿区と連携したところで意味がないという認識だった。

区長にメールした。思ったより声掛けがうまくいかなかったこと、そして思いのほか行政に対する不信感があるということ、みなが言っていたことを洗いざらい伝えた。だから、会の冒頭に行政の基本的な仕組みの話をして欲しいと伝えた。翌日次第で、それ以降の輪が拡がるかどうか決まるだろう。区長も起きていた。すぐに返信が来た。区長は今まで信頼関係を築いてこなかった責任について述べてくれた。私が１人で再び伺うことになったとしても毎日門戸を開いて待つと言ってくれた。

区長とホストクラブのはじめての対話

６月３日。約束の時間に３グループの約20人が来てくれた。胸を撫でおろした。まるでＶＩＰのお客様を扱うように区役所の方が会議室に案内してくれる。

まずは区長から挨拶。昨日お願いした通り、丁寧に話をしてくれた。続いて保健所長も、我々の健康を第一に考えていることを話してくれた。

ホスト側からの質問は切迫感に満ちた現実的な話だった。実際に陽性者が出た場合の営業再開の目途、店名公表は本当にされないのか？　など店の利益に関わることに集中した。それに対しても、区長たちは丁寧に答えてくれた。

会の終盤、ある1人のホストの発言で会場の空気が変わった。

「電車を降りて、新宿駅から地上に上がって息をつくと、アルタの大型ビジョンで、『夜の繁華街に行くな』と小池都知事が言うんですよ。今からそこに出勤するのに、どうしていいかわからない気持ちになる」

利益だけの話ではないのだ。自分たちの存在意義の話でもあるのだ。区長たちも黙っていた。その表情からホストたちの気持ちが伝わったように思えた。

区長たちが、ホスト側と敵対する気がないことは彼らもわかっただろう。予定時間を大幅に過ぎて2時間を超す意見交換会になった。みな参加して良かったと言ってくれた。

参加者たちに歌舞伎町のホストクラブ経営者で作っているラインに今日のことを報告して貰った。夜、他の店舗からも翌日参加する旨の意見が出てきた。

あらためて参加表明をしてくれた人たちは、初日に参加したメンバーよりも断然行政に対しての不信感が強い。半信半疑で確かめに来るという姿勢だ。

区長の真摯な対応

６月４日。前日よりも増え、30人ほど集まった。私とはほとんど接点がない人間が大半だった。前日に引き続き、区長と保健所長が最初に丁寧に話してくれた。いや私の要望を聞いてくれ、昨日よりもさらに丁寧に話してくれた。ホストたちが意見を言う場面になると、予想通り、果たして新宿区は感染症対策を一緒に行うのにふさわしいかどうかを見定めるような態度だった。

業界最大手の方の質問から始まった。それは業界を代表する悲痛な叫びだった。強い口調で、区長に対して国の対応、都の対応、そしてそれによって生まれた風評、そこで働く人間たちの気持ちを伝える。

区長は、テレビでよく見る政治家のように質問の答えを濁すようなことはせず、真摯に答えてくれた。そして国や都に対して必ず意見を言うと約束してくれた。

　それでもさらに強く区長に迫る。

「区長言ってください。営業していいって公に言ってください」

　たくさんの人の思いを背負ってきている責任感がそう言わせるのだろう。

　しかし、私は割って入った。これ以上区長に背負わす訳にはいかない。ここまで行政が歩み寄ってくれたのだから、我々もここは理解しましょうよ、となだめた。これから信頼関係を作っていきましょうよ、と言った。


　その後もいろんな人から活発に意見が出た。

　報道の仕方に対しての苦情。飲食店と電車との違いがわからない。当たり前の対策はしている。もっとこういう風にしたらという指導があるといい。現場で指導をして貰いたい。抗菌、抗ウイルス助成金は？

　具体的な質問がたくさん出た。区長たちはどんな疑問にもしっかり答えてくれた。

私は、翌日も４日続けて新宿区役所へ向かった。

２日間の意見交換会を踏まえての今後の話し合いだ。私は時間がある限り区長たちと事業者たちが直接顔を合わせる時間を作って欲しいとお願いした。区長たちも快諾してくれて、10回ほどのスケジュールが組まれた。さらにホストクラブ以外の歌舞伎町の業種にも連携の輪を拡げて、歌舞伎町内外に向けて感染拡大防止を目的とした対策連絡会を立ち上げましょうという話になった。メディアも呼んで大々的にやることにした。６月18日に日付も決まった。

その夜、副知事を中心とした見回り隊が歌舞伎町に現れた。密を避けろと密になりながら叫び、東京アラート発動中という掛け声を発しながらメディアをたくさん引き連れて徘徊した。

どんな様子なのか、私は、見回り隊を探しに行った。街中歩いても、見回り隊は見つからない。知り合いにも会わないから行方もわからない。事務所に戻ろうとしたら、大群のやくざが走っている。ワンボックスカーを囲んで横から後ろから乗り込んでいる。

1人が電話をして叫びながら違う方向に走りだすと群の一部が付いて行く。私たちは氾濫する濁流の中州のようにその場にとどまる。両サイドを大群が走り抜ける。どんどんやくざも見物人も警察官も増える。これが歌舞伎町だなと思った。

無駄が集まる歌舞伎町

6月7日。日曜日なのに朝から区長は忙しい。午後に西村経済再生担当大臣と都知事が会う。その前に区長は、西村大臣と会って、歌舞伎町が現在行っていること、そして都知事の過剰な名指しや煽りを牽制するように話してくるという。それを業界の人に伝えて欲しい、と言われた。区長も口約束ではなく態度で示すということだ。

そして夕方、西村大臣の会見。区長の思いは伝わっていた。西村大臣は接待飲食業の必要性を語ってくれた。そして我々と新宿区が連携を取っていることを「新宿モデル」として他の地域の見本にすると言ってくれた。

この会見を見て、歌舞伎町の他の事業者も信用してくれたと思う。陽性者が出たお店がＰＣＲ検査の集団検査を受け入れ始めた。事業者も態度で応えた。ここから新宿区の感染者数は一気に増えたが、都知事も大臣も、感染経路がわかっている状態は問題ではないとハッキリ明言してくれる日々が続いた。

感染者数は減らないが、夜の街への公的な批判が減ったこと、そして事業者たちが検査を率先して受けることが続いたのは一歩前進ではあった。

6月12日。対策連絡会立ち上げに向けての最終調整。新宿社交料理飲食業連合会、歌舞伎町商店街振興組合、日本水商売協会など、各業種の方々が集まって再度連絡会の準備会を行った。

官民一体で感染防止対策を行うという、内外へのアピールが風評被害防止、そして実際の感染拡大防止にも大事だという共通認識が確認された。

6月18日。連絡会当日。たくさんの報道陣が集まっていた。ホスト業界からも最大手5社が来てくれた。

会は滞りなく形式的に進んだ。各業界、地域の代表者が意見を述べ、最後は新宿ゴールデン街商店街振興組合の理事長だった。

「ホスト、ホストとばかり言われているが、歌舞伎町にはそれ以外にもいろいろある。ホストクラブがあって、ゴールデン街があって、キャバクラがあって、パチンコ屋があって、飲食店があって、新しい店も古い店もあって……いろんな業種があって、無駄だと思われているものが集まっているのが歌舞伎町だ」

大先輩が、足を引っ張る我々ホストクラブと風評被害を強く受けている飲食店経営者たちの前でそう言ってくれた。

まさにこれが、私が愛する歌舞伎町だ。

第一部 歌舞伎町は辿り着く街

歌舞伎町とは一体どんな街なのか？

私は20年以上歌舞伎町にいる。しかし街を歩けばいつだってキャッチされる。20年以上この街にいるからといって、別に街の有名人な訳ではない。歌舞伎町に来たことがない知人などと街を歩くと「いろんな人に挨拶されるかと思ってました」と意外がられる。歌舞伎町について偉そうに語るからといって別に歌舞伎町の顔役では決してない。

しかし、私が歌舞伎町のことを偉そうに語っても誰も文句を言わないだろう。どれだけ知り合いが多いのか？　どれだけ長く歌舞伎町にいるのか？　どれだけ多く店を持っているのか？　歌舞伎町を当事者として語ることができる資格の基準なんてない。いる人間の数だけ歌舞伎町がある。

　そんなことを言ったらどこに誰がいたって一緒だと思うかもしれない。でも、歌舞伎町にいるということは、自分にも他人にも特別なこととして扱われることになる。歌舞伎町を去った人でも、隠す過去にしたり、武勇伝にしたり、ただ通り過ぎた一風景にする人は少ない。特別な何かがそこにはあるからだろう。だから私も語る。私の大好きな歌舞伎町を語る。

渋谷では暴動が起きて、新宿では起きない理由

防犯カメラの効果

歌舞伎町は世界一安全な繁華街である。私はそう思う。ただ、そう思ってはいない人がかなり多くいる。

私は１９９７年からホストとして歌舞伎町の人間になった。ホストクラブのキャストから経営側にまわり、「Smappa! Group（スマッパグループ）」の会長として歌舞伎町でホストクラブやバー、美容室などを経営している。２０１７年からは歌舞伎町商店街振興組合常任理事を務めている。ホスト時代から23年にわたって歌舞伎町の街を見てき

た。

体感として「歌舞伎町は世界一安全な繁華街」と思うようになったきっかけは２００２年のことだ。

50台の防犯カメラが歌舞伎町にやってきた。警視庁生活安全部が繁華街に防犯カメラを大量に設置したのは歌舞伎町が日本で初めてだった。暴対法（暴力団員による不当な行為の防止等に関する法律）の効果が出てきたという面もあると思うが、我々住人たちは飲み屋で「雨の日に傘をさすと防犯カメラに写らないから怖い人が街にたくさんいるらしいよ」なんて噂するくらい、防犯カメラの監視を信頼していた。それは同時に、自分たちも悪さをしたらすぐ捕まるという認識の共有でもあった。

さらに、歌舞伎町の防犯カメラは警察が設置するものだけではない。1階にあるお店は大体自店で防犯カメラを付けているのだ。店の種類によって目的はそれぞれにあるとは思うが、道行く酔客が起こすトラブル、あるいは自店で起きるトラブル回避のためなど、基本的には抑止力としての効果が強いと思う。実際にダミーのカメラもたくさんある。

警察も防犯カメラの効果を認め、現在ではカメラを5台増やし、さらに高性能なものに切り替え、歌舞伎町1丁目での死角をなくした。そして歌舞伎町に倣って、各地の繁華街で防犯カメラが設置されるようになった。

警視庁のHPによると、街頭防犯カメラシステム整備地区の刑法犯認知件数は、カメラ設置の2002年から2018年の間で、約半数になっている。私の肌感覚でも路上の喧嘩などを見ることは最近ほとんどなくなった。

そして歌舞伎町の真ん中に位置する歌舞伎町交番には、警察官が毎日24時間、4交代制で8人いる。歌舞伎町で110番すれば5分も掛からず警察官が来てくれる。24時間態勢で歌舞伎町内をパトロールしている警察官も目にする。

「共生はしないが共存はする」

防犯カメラ、そして警察、そういった公的な抑止力がある上で、さらに歌舞伎町には私的な抑止力もある。それは衆人環視、人の目だ。

歌舞伎町の路上では前後10メートル、誰の目にも触れられない場所はない。24時間どこでも必ず人がいる。必ず誰かが見ている。そして見られているのだ。

正確なデータは取れなかったが、コロナ禍以前まで、10年で歌舞伎町の来訪者数は倍くらいに増えているように感じた。毎日たくさんの人が訪れていて、多種多様なお店が林立し存在し続けられているということは、警察やカメラのおかげだけでは成り立たない、連綿と引き継がれてきた「街の秩序」があるからではないだろうか。決して「警察が見ているから」だけではないと思う。

歌舞伎町を訪れたことがない方のイメージするような「怖い方々」ももちろんいる。でも、そういう方々は、我々が何もしなければ、決して危害を加えることはない。現在は反社会的勢力と言われる方々が一般人と揉めることに伴うリスクはものすごく大きい。もしそういう揉め事を起こすことがあるならば、組織のトップの責任になる。そんなリスクを背負って一般人に自ら絡むような人はいない。

彼らが怒るとしたら余程のことだろう。だからと言って、彼らを舐めてからかうようなことを歌舞伎町の住人たちはしない。

歌舞伎町で働く人や歌舞伎町を遊びのホームタウンにするような歌舞伎町の住人たちは、羽目も外すがお互いが一定の緊張感を持って生きている。また、歌舞伎町で働く人は大体歌舞伎町で遊ぶ。最低限のモラルを守って周りに迷惑を掛けないように、それぞれで勝手に暴れるのだ。

歌舞伎町には約６００棟のビルがある。一つのビルに10のテナントがあると仮定して、住居、事務所などを多めに見積もっても約４０００軒を超すお店が存在する。いまだかつてすべてのお店を把握した人は1人もいないだろう。

その数多《あまた》のお店の中で住人たちは、それぞれのテリトリーを持っている。それは物理的なテリトリーではなく、コミュニティと言われているものに近いのかもしれない。自分の安全圏を確保して、そこで心を解放させるのだ。

私の会社が経営する歌舞伎町内のバーは6店舗ある。各店舗それぞれに固定のスタッフもいるが、どの店舗にも所属しないスタッフが数名いる。そのメンバーが6店舗を回遊して、お客様のテリトリーを拡げてあげる。彼らはうちのグループ店舗だけではなく、それぞれ自身のテリトリーを歌舞伎町に持っていて、重なるハブの部分がうちのグループ店舗だということだ。自店だけに留まるのではなく、テリトリーを共有する文化があるのだ。

「共生はしないが共存はする」というのは長年、歌舞伎町商店街振興組合の事務局長を務めてきた城克《じょうまさる》さんの言葉だ。まさに歌舞伎町を表す言葉だと思う。決まったルールも線引きもない。だが歌舞伎町なりのモラルがある。自分のテリトリーを大事にするということは、他人のテリトリーに対しても敬意を持つということなのだ。

そんな自分のテリトリーを大事にする人々は、自分の懇意にしている店の前でたむろして缶ビールを飲んでいる人がいたら当然注意する。ふらっと来た行儀の悪いお客は追い出す。そういう光景を幾度となく見てきたし、自分もしてきた。

こう言うと「初見では遊びに行きづらい街だな」と思うかもしれない。それはある意味間違っていない。1回飲みに行って最高の思い出になるようなエンタメ性が高い店は歌舞伎町には少ない。人間関係を継続的に構築していくこと、職種・性別を気にせず1人の人間として扱うコミュニティがたくさんあることこそが歌舞伎町の魅力だ。

4月になると新しい客引きが増えて、街がポイ捨てのゴミで汚れる。しかし冬になるとゴミの量は減る。そうやって彼らも街の住人になっていく。

2018年のハロウィン、渋谷では車をひっくり返すような暴動が起きた。もし、同じような状況が歌舞伎町で起きたら、客引きたちは営業妨害だと止めるだろう。客引きは違法行為だ。そうであるにもかかわらず、彼らは歌舞伎町の安全性をある意味で守る存在なのだ。

自分のお店の前で暴れていればお店の人は注意する。実際に我々のお店で問題が起きても、近所のお店の人やお客様の協力で解決することがほとんどだ。みんな自分事のように協力してくれる。

そうやって、歌舞伎町を自分たちの街だと感じるような、比較的長く働いている人やお客様が街中にいて自分たちのテリトリーを守るのだ。

歌舞伎町にわかりやすく美味しいお店はない

観光客に頼りたくない

歌舞伎町で美味しいお店はどこですか？　と聞かれると私は困ってしまう。「美味しい」の概念は人それぞれ違うので、とても難しい。だからハッキリと「あなたが思う美味しい店はないと思います」と先に言う。

星付きレストランを美味しいの基準にしているような人ならば、「海外旅行に行ったと想定してください」と前提を変えることから話ができる。しかし意識高い系のB級グルメも許容範囲に入れるような人にすすめることはとても難しい。小汚いがめっちゃうまいと言われる店はいろんな地域に点在している。歌舞伎町にも小汚い店はたくさんある。しかし、そういう意識高い系グルメを唸らせるような逸品を持っている店は少ない。

1回行って満足できる店はない。
どの店も、誰かにとって日常の一部である店が多い。

1回行ったことがスタンプラリーのスタンプになるような、その店に行ったことで箔が付くような店は少ない。店側も、メディアに取り上げられるようなわかりやすい商品を作ろうなんて思わない。お店を支えてくれる人は、日常的に使ってくれる常連さんだからだ。その人たちを喜ばすことをお店は考える。

歌舞伎町1丁目にある飲食店街、新宿ゴールデン街は、２０００年頃は今ほど流行ってはいなかった。空きテナントでだんだんと若者が店をやるようになり、古くからいる人と若者が混在して雰囲気が変わって面白くなっていったのが00年代だった。その後、海外のガイドブック『ミシュラン』のようなもので評価されて00年代後半から一気に外国人観光客が増えた。うちの店も英語メニューを作ったり、スタッフも英語を学んだり、外国人観光客をメインターゲットにしようと思っていた。そんな中で起きたのが３・11。

東日本大震災だ。

外国人観光客は一切来なくなった。観光客に頼ったことをみな後悔した。一過性のお客様に頼ることの不安定さを身に染みて知った。観光客の団体を優遇したせいで常連さんが入れないことも多々あった。そのときは観光客バブルだと騒いで大事なものが見えていなかった。

その後、観光客は戻ってきたが、観光客に頼った営業をする店はほとんどなくなっていた。何人以上お断りとか、ハッキリと外国人を断る店も増えた。２０１９年のラグビーワールドカップ時にはたくさんの欧米人が歌舞伎町に来た。しかし彼らの多くはコンビニで酒を買って道端で飲んで騒ぐ（日本だからできる路上での飲酒行為は観光資源だとは思うが、商売人としては店で飲んで欲しい）。道で騒いだ後に一休みしようと、酔っぱらってお店にやってくる観光客がたくさんいて、トラブルが相次いだ。ゴールデン街の多くの店が、その時期外国人観光客の入店を断るようになった。

守るべきなのは日常的に使ってくれるお客様たちなのだ。ゴールデン街も含め歌舞伎町のほとんどのお店が、１人でやっている小さなお店で、お客様の入れる人数も限られている。その席を来るか来ないかわからない観光客に空けておくことは商売として無理な話でもある。

ゴールデン街しかり、歌舞伎町は一見さんでは行きづらい、という風な話をよく聞くが、それはお店を長く経営していく上で自然と作られていった構造だ。決してお客様を選別して、虚栄心を刺激するような仕掛けにしている訳ではない。港区界隈にある、そこで飲むことがステータスになるような価値を提供している会員制バーとは違うのだ。一見すると無個性と思われる店が多いのも特長の一つだ。

歌舞伎町の料理の質が上がらない理由

育ちが良い人の特権の一つとして、幼い頃から味覚が鍛えられることがあるだろう。私は決して育ちが良い訳ではないが水商売をしていたおかげで、20代前半からいろんな美味しいものを食べる機会に恵まれた。とても感謝している。そのおかげで30代になる頃にはいっぱしの舌を持っていて、それが歌舞伎町以外の方々とも交流ができた要因の一つだと思っている。私と同様にホストやキャバ嬢は若い頃から舌を訓練される環境に今もある。それなのに歌舞伎町のお店の料理と酒の質は一向に上がらない。グルメサイトの評価を見ても、高得点の店はほとんどない。

うちのグループにも飲食をメインとするお店があるが、一向に食べログ的な美味しい店にはならない。質を上げよう。と毎月のミーティングで叫ぶが届かない。酒も料理も質は永遠に上がらない。現場は知っているのだ。お客様が求めているものがそこではないということを。

現場が大事にしていることは接客であり、お客様との繋がりなのだ。

歌舞伎町で一番多い形態はバーと自称する店だろう。バーと言ってもいろんな種類がある。一般的にバーと言って思い浮かぶのは、オーセンティックな雰囲気でバーテンダーがシェーカーを振ってカクテルを出すようなイメージだろうが、そういうバーは歌舞伎町には数軒しかない。ほとんどのバーは簡単なカクテルと焼酎割をメインにしている。

特にホストクラブでもなくキャバクラでもないホストクラブ風、キャバクラ風のアフターバーと呼ばれる店が多々あるのだが、そういう店は、基本的に焼酎と缶ビールとシャンパンとテキーラしか置いていない。こういう店舗が歌舞伎町ではあちこちにある。

ホストクラブやキャバクラは午前1時までの営業だ。ほとんどのお店は法令を遵守し、その時間に営業を終える。その後にキャストたちはアフターに行ったり、仲間たちで飲みに行ったりする。その場所が先に書いたアフターバーと呼ばれているお店だ。ホストやキャバクラをグループ展開しているところは、アフターバーを大体持っている。


アフターバーは、ホストやキャバ嬢が、仕事を終えた後にリラックスする場所だ。気を抜ける場所だ。アフターでお客様と一緒に行くことがあっても、自分のお店のように細かい制約もないし、席回りもない。売上を上げなければいけないというプレッシャーもない。アフターバーの店主は元ホストや元キャバ嬢が多い。彼らは同僚ではなく、ライバルでもない。仕事の話を理解してくれる人たちだ。

しかも時にはお客様を紹介してくれたり、お客様とのトラブルの仲介に入ったりしてくれる。そう、アフターバーはただの飲み屋ではない。自分のお店の足りない部分を補完してくれる存在なのだ。

実際にそういうバーの店主は歌舞伎町の顔役の人間が多い。お店間のトラブルの仲介に入ったりもする。歌舞伎町の水商売を支えている重要な存在だ。うちの会社は、アフターバーを持っていない。しかしスタッフのみながこぞって使う店は数軒ある。そこの店主との信頼関係はとても大事だ。うちのスタッフも先輩には言えない愚痴をたくさん聞いて貰っているだろう。そうやってお互いが支え合って歌舞伎町は成り立っている。

お酒を軽視している訳ではない。酔って会話をする。というのが歌舞伎町の主なバーであって、それ以外の要素の重要度は低く、誰と酔って会話をするのか？　が大事なのだ。

そういうバーは音響にこだわっている店も少ないし、ＢＧＭもたいがい一昔前に流行った洋楽だ。一見で飛び込もうものなら、タイムスリップしたような気持ちになる。しかし、それが歌舞伎町のトレンドだったりするから面白い。特に世の中の流行など気にしていない。こだわりを持たないというのがこだわりなのかもしれない。

もちろん店主がこだわりを持っている店もある。そういう店は歌舞伎町にとってはとても大事な存在だと私は思っている。プライドを持って店をやっている人が多く、周りのお店と連携して助け合ったりしない我が強い人が多い。街の力とは関係なく、自分の店の魅力で歌舞伎町の外から人を呼び寄せて成立しているというプライドもある。そういう店は歌舞伎町を訪れるきっかけを作るという役割を担っている。

しかし、そういう店は大体、歌舞伎町から去ってしまう。歌舞伎町でなくても成り立つということは、逆に歌舞伎町にあることがマイナスに働くことが多いのだ。家賃が高い、駅から歌舞伎町までの道のりが怖い……などなど。店に魅力があれば同じ家賃で環境が良い場所は都内にいくらでもある。そういうところに移ってしまう。

それでも歌舞伎町に残ってこだわりの店をやっている店は重宝しなければいけないと私は思っている。

歌舞伎町は本当に
ぼったくりが多いのか？

ぼったくりの法的意味

「ぼったくりとか怖くて歌舞伎町行かないんですよね〜」

「ぼったくりってどうやったら遭わないんですかね〜」

歌舞伎町で働いていると言うと、よくこんなことを言われる。私は先ずは聞き返す。

「ぼったくりって、どういう意味ですか？」と。大体の方が、本人が被害に遭った訳ではなく、テレビなどで見たイメージを話すことが多い。

「テレビとかでよくやっているじゃないですか。女の子にキャッチされて〇〇円って言われて付いて行ったら、カウンターに強面の人がいて、雰囲気が怖いので、すぐにチェックをしたら会計が10万円だった、とか」

あまりにも抽象的な主観でまとめられた話が多い。そして実際に被害に遭った人の証言も酔っぱらっているし、客観性を欠いた話が多いのだ。

では、ぼったくりとは法的にはどういうものなのか？ 東京都では２０００年に「性風俗営業等に係る不当な勧誘、料金の取立て等及び性関連禁止営業への場所の提供の規制に関する条例」が施行された。いわゆる「ぼったくり防止条例」だ。

「当該営業に係る料金について、実際のものよりも著しく低廉であると誤認させるような事項を告げ、又は表示すること。（第四条一項一号）」

簡単に言うと、店側が最初に提示したサービスと金額は、実際と異なってはいけないということ。

強面の人がいようが、お通しがしょぼかろうが、思ったようなサービスを受けられなかろうが、それは基本的に主観であって、それだけでは「ぼったくり」には該当しない。なぜなら、ポイントは「事実」なのだから。

２０１５年頃の歌舞伎町は、ぼったくり被害がものすごく多いと言われていた。

当時、東京弁護士会が週末になると街を巡回し、客引きや店側、通行人などにぼったくりに気をつけるように呼び掛けをしたり、「客引きには付いて行くな」と、聞きやすい著名人の声を使った街頭アナウンスを1日中繰り返していた。

しかしぼったくりの被害が減ることはなく、毎日のようにぼったくりに遭ったという客とお店の人間が連れ立って歌舞伎町交番に列をなし、交番の前は人だかりができていた。

争点は、事前に料金説明をし、目に入るところに料金表があったかどうか？　客が了承の上での料金であったか？　「料金システムを説明した」という店側の主張と、「聞いていない」という客の主張の食い違いだ。

警察官も、それが「ぼったくり」に当たるのかどうかという議論に付き合わなければならず、大変だったと思う。なぜなら、事実と主観が入り混じることで、綺麗に線引きができず、みなが第三者として警察官を求めていたからだ。

「料金の計算方法を複雑にする」という戦略

２０００年に「ぼったくり防止条例」が施行されたが、大体のプチぼったくりと言われているお店は、問題視されている点をクリアしていることが多い。店側は揉めることに慣れているのだ。

飲食店全般において、料理や飲み物はその都度注文して最後にお会計をすることの方が多い。そして会計が思ったより高い・安いというのは誰でも経験があることだろう。

しかし、キャバクラやホストクラブにおける、その「思ったより高い」と思わせる要因は実は明確だ。なぜなら意図的にそうしている側面があるからだ。

先ずは客引き、いわゆるキャッチに「〇〇円で遊べます。でもそれ以外は別料金です」という説明をさせる。例えばこんな感じだ。

「1時間３０００円でサービス料も消費税も込みで焼酎は飲み放題。ただし、1時間以降は通常セット料金に自動延長で、女の子のドリンク代、場内指名料などは別料金になります。そのすべての料金にはサービス料、消費税が掛かるという形になりまーす」

テレビやぼったくられ経験者の言う「ぼったくり」の原因はこの「ただし、」以降の部分。そう「サービス料」だ。サービス料とは、飲食店やホテルなどサービスを提供する施設で、チップの代わりに対価に上乗せされる金銭のことを言う。

外国で言う「チップ」と似たものだが、チップはサービスを受けた側が払うか払わないか、いくら払うのかを決められる。しかし、サービス料は合計金額に上乗せされ、請求されるので客側には決定権がないのである。

水商売の業界では、小計と呼ばれるメニュー表に記載されている金額に、サービス料と消費税を加算したものが最終的に客に請求する会計になる。例えば、ホストクラブでは35%〜50%、キャバクラでは20%〜35%がサービス料の相場と言われており、そこに消費税を加算するのだ。

それだけ聞くと、そんな問題か？　高級レストランでも同じだろうと思うかもしれない。しかし、もう少しいろんな要素があるのが夜のお店なのだ。テーブルチャージ・指名・場内指名などなど……。

例えば、図表1のような料金体系の店に20時に入店するとしよう。先ずは必ずつくセット料金７０００円、そしてお通し代のテーブルチャージ２０００円が掛かる。
飲み物はビール（１０００円）を頼み、席に着いてくれる女の子もビール（１０００円）を飲みたいというので注文する。しばらくして女の子が入れ替わりカクテル（１０００円）を頼み、このままこの席で飲みたいというので、隣に居続けることができる権利の場内指名（３０００円）を入れてあげる。ビールの追加注文を２杯（２０００円）、女の子もお代わりを１回（１０００円）頼む。

図表1

メイン：セット料金（60分）	
20:00～20:29	7,000円
20:30～20:59	8,000円
21:00～LAST	9,000円
テーブルチャージ	2,000円
延長（30分）	4,000円
税金・サービス料	[税]10%[サ]20%

その他	
指名料	3,000円
場内指名料	3,000円
同伴料	3,000円
延長方法	自動

ドリンクメニュー	
ビール	1,000円
カクテル	1,000円
焼酎・ウイスキー各種ボトル	8,000円～

　ここで会計をする。時間は21時30分になっていた。掛かった総額は、セット料金：７０００円＋テーブルチャージ：２０００円＋延長30分：４０００円＋飲み物代：

図表2

	数	単価	金額
セット料金	1	7,000	7,000
テーブルチャージ	1	2,000	2,000
延長30分	1	4,000	4,000
ビール	4	1,000	4,000
カクテル	2	1,000	2,000
場内指名料	1	3,000	3,000
	小計		22,000
サービス料　20%			4,400
	小計＋サービス料		26,400
消費税　10%			2,640
	小計＋サービス料＋消費税		29,040
	合計		29,040

6000円＋場内指名料：3000円＝2万2000円。それにサービス料20％を掛けると2万6400円、消費税を掛けて2万9040円となる（図表2）。

提示されている記載通りの会計はこうなる。決してぼったくっている訳ではないが、正直わかりづらい。

酔っぱらった勢いで気持ちが大きくなってしまっている状態で、注文するたびにメニューに記載の料金にサービス料を掛けた計算ができるだろうか。そんな細かい計算は慣れないとなかなかできない。

ホストクラブでも、この慣例はずっとあって、会計時に「こんなに高いとは思わなかった」という揉め事を幾度となく見てきた。

それを防ぐために、ホストたちは、お客様がお酒をオーダーするときに、わざわざ店の内勤者に、「〇〇をオーダーしたら会計はいくらになりますか？」と聞きに来る。お客様にも店舗にとっても手間なのだ。

サービス料という夜の店の〝戦略〟を撤廃してみると

うちのグループは、この水商売特有とも思われる会計の複雑さ故の、不明瞭感を払拭するために、サービス料というルールを撤廃した。同時にテーブルチャージ、指名料というものもすべて撤廃し、メニュー表に載せる金額＝会計になるようにした。

グループ全店で明瞭な会計ルールを実行したところ……起きた問題は「高い」だった。お客様からも「高いから注文したくない」、ホストからは「高いからお客様にお酒の催促がしづらく売上が上がらない」と言われたのだ。おかしな話である。料金は変わっていない。変えたのは表記だけだ。

メニュー表示は確かに高くなる。今まで10万円と表示していたシャンパンは、13万5000円（＋税）という表記になる。それが「高い」イメージを与えるから嫌だと言うのだ。

ホストクラブに行くお客様は、他のグループのホストクラブにも行く方がほとんどだ。それ故、うちの店のメニューをパッと見ると、他のお店に比べて高いという印象を抱いてしまう。となると、そこから自店の料金説明をすることが、会話の流れを悪くしてオーダーに辿り着きづらい。そんな声が現場のホストたちから上がった。

店の常連さんたちは次第に慣れていくが、他のお店に通い慣れていたお客様からすると、逆にわかりづらい。そしてホストたちにとっては無駄な手間になってしまったのだ。

その結果、グループ内でも新しく出した2店は、結局、昔のわかりづらい会計制度を採用している。会計ルールに慣れれば、うちの方が断然いいと思う。でも他社と争う上で、他社のお店に通っているお客様に来てもらうため、「夜の戦略」に寄せたのだ。

ある大手グループの会長が「サービス料をなくしたら絶対に流行らない。夢を見させないといけない」と言っていた。「安いと一瞬思わせることが夢？」と私には意味がわからなかった。

でも、もしその言葉を肯定的に捉えるのであれば、実際より少し安い金額を見せることがもたらす夢とは、ホストと仲良くなれたのは高いお金を払ったからじゃない、と少しでも思って貰うことなのだろうか。

ビジネス的な観点からすると、最初に提示された金額からオプションを付ける結果になるのはよくあることだと思う。

そう実感したきっかけは父の葬儀だ。私たちは棺や骨壺の良し悪しなどわからない。でも、みなさまこちらをお選びになります。と言われたら、そちらに流されてしまう。なぜなら、親族が亡くなってすぐに冷静な判断なんてできないからだ。

「あ〜こうやって判断能力が弱いときに決断を迫るのは、我々が酔っぱらっているお客様とボトルを入れる、入れないとせめぎ合う精神状態のときと似ているんだろうな〜」

と当時はしみじみと思ったものだ。

私のプチぼったくり体験

私は後輩２人とバーで朝４時過ぎまで飲んでいた。もう３人ともべろべろだ。タクシーを捕まえる大通りまでずっと客引きが朝キャバをすすめながら付いてくる。よくあることだ。適当にあしらう。「５０００円で消費税・サービス料込々でお願いします！」としつこい。だんだん面倒くさくなり、なぜかこういうときは自虐的な気分になり、みな帰りたいし誰も行きたくないのに、我々は1時間５０００円（税・サービス料込み）で朝キャバに行くことになった。

バーで熱く語っていた延長で語り続けた。女の子は代わる代わる席に着く。「ドリンク飲んでいいですか？」とそれぞれの隣に座っている女の子が催促する。我々も同業者だ。「水飲んでいなよ」なんて冷たいことは言えない。

自分たちも普段言われたら辛い言葉だ。みんないちいち会話を止めるのも面倒なので、「いいよー」と言って自分たちの会話を続ける。女の子が代わればまた1杯注文はする。みんな、恐らくお酒は入ってなさそうな可愛らしいカクテルを飲んでいた。

1時間が経って、我々は会計をお願いした。酔っていても1分でも過ぎれば延長料金が掛かることくらいはわかる。そこは気をつけていた。

あれ？　1人５０００円だから1万５０００円で、女の子にドリンクを少し飲ませただけで……え？？　冷静な判断ができない。ここで店員と揉めるのは同じ街の同業者として無粋だと思い、とりあえず伝票の写真を撮って外へ出る。

別料金の部分は、女の子のドリンクだけだ。３０００円のドリンクが３杯、２５００円のドリンクが４杯、２０００円のドリンクが１杯だ。足すと２万１０００円だ。

　そこにサービス料を掛ける。この店では20％だ。

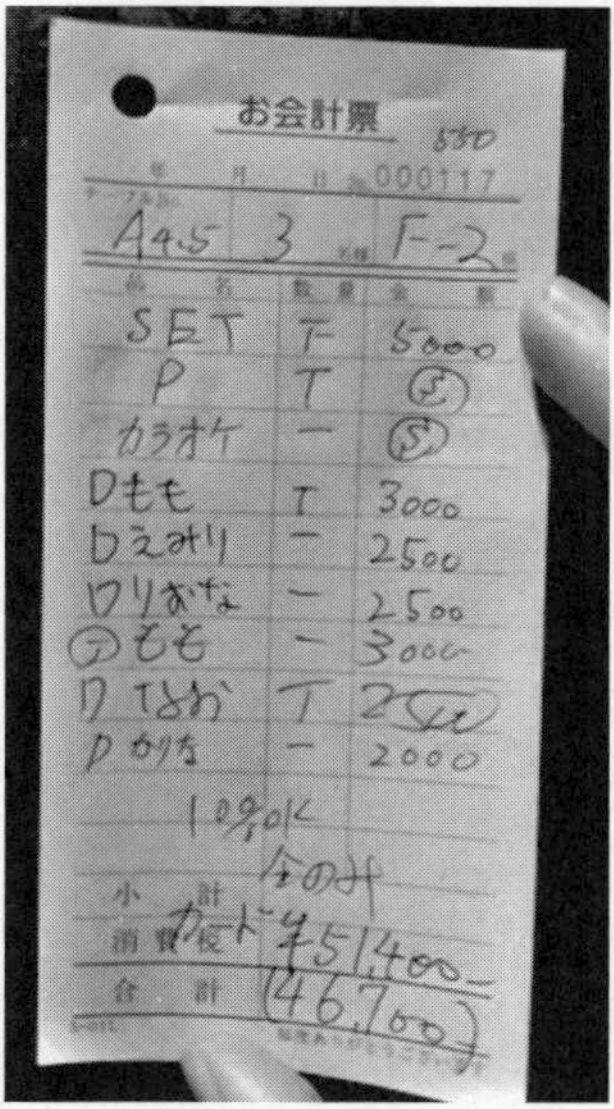

　２万１０００円×１・２×消費税１・０８×カード手数料１・１＝２万９９３７円（消費税が８％の頃）

　そういうことなのだ。システム通りなのだ。でもなぜ私は、プチぼったくりと思ったのか？

　このシステム通りの合計金額なら

ば、（１万５０００円＋カード手数料１５００円）＋２万９９３７円＝４万６４３７円のはずが、実際に請求された金額は５万１４００円。つまり、５万１４００円－４万６４３７円＝４９６３円多いのだ。

これは、最初に言われた５０００円（税／サ込）に、二重で消費税とサービス料が加算されていたためで、支払った会計上は５０００円込々ではなかったのだ。

これは意図的なのか、店員の間違いなのかはわからない。

お店を出て後輩の２人に、「５万もしたよ。高いよなー」と言ったら、「マキさん、１人２万円弱でしょ。朝キャバはそんなもんですよ。５０００円で済む訳ないじゃないですか」と言う。

そういうことだ。

私よりも現場感がある２人だ。私よりも詳しい。彼らにしてみれば、当然の金額だということだ。キッチリ幾らでは決してないが、大体そんなもんだ。と思っているということだ。大人だな～と思った。

夜の戦略を正すべきか、貫くべきか

私は、会計のシステムをわかりやすくすることが絶対に正しいと思っていた。大手グループの会長が言うことも理解できなかった。しかしこの件の後、考えてみた。不明瞭であることが絶対に悪いことなのだろうか。

どんぶり勘定という言葉は昔からある。今でも「客を見て値段を決める」という昔ながらのスナックにたまに行く。私の場合は大体5000円だ。

今は売れた役者さんなんかが、昔ばなしの美談で、「俺らが売れない頃はただ酒飲ませてくれてさー」なんて語られる店があるが、その店は同時に、取れるところからは取っていたのだろう。

お金の細かい話をするなんて野暮ってもんだ。という水商売独特の感覚は悪だったのか？　いまだに新宿のクラブや京都のお座敷では、私はメニューを見たことがない。

月末の請求書の金額しか私は知らない。何が幾らかなんてわからない。お座敷のおかみさんは、ホテルの手配から、ご飯屋さん、他の飲み屋さん、何でも紹介してくれる。

そして祇園で飲むときは全部、そのお座敷を持つお茶屋さんのツケで飲める。立て替えてくれるのだ。飲みに行かない日だって京都のことなら何でも教えてくれるし、何かあれば手伝ってくれる。

新宿のクラブのママさんたちは、うちの会社のスタッフを可愛がってくれる。お客様を紹介するだけではなく、人としての成長を促すように接してくれる。その日の飲み代だけでは語れない価値があるのだ。

飲み屋の飲み代というのは、元々はそういうものだった気がする。そのお店と繋がっていること、そのお店の人と、人として繋がっていること。そういう価値だったように思う。そして「ぼったくりだ」と言われる所以は、その部分を欠いている場合ではないだろうか。

不明瞭であること、わかりづらいことを問題視する前に、水商売の在り方として、お客様と人間同士の関係性を築く価値を大事にすることが先なのかもしれない。そういう人間になることが先なのかもしれない。

うちの店舗でサービス料を撤廃したことが良かったのか悪かったのか、その結論はまだ出ていないが、少なくともサービス料を頂いているお店では、クラブやお座敷のようにお客様から「その価値がある」と思って貰えるような、有形無形に関わらないサービスを提供していかなければならないと思う。

そして私は、堂々と「高いんですよ。我々は」と言えるような仕事をしていきたい。

「24時間眠らない街」の24時間の欲望

歌舞伎町の昼間の顔

歌舞伎町は「24時間眠らない街」と言われている。しかし24時間同じ顔をしている訳ではない。どの時間を始まりに設定するのかは難しいが昼の12時をスタートとして考えてみよう。

コロナ禍になる前、昼間の歌舞伎町にはたくさんの外国人観光客がいた。アパホテルを筆頭にここ数年はホテルが乱立し、外国人観光客が歌舞伎町の猥雑な街並みをカメラ片手に観光しながら、ランチをしたりお茶をしたりしていた。この時間の歌舞伎町の中心はＴＯＨＯシネマズのあるセントラルロードだ。入りやすいチェーン店が路面に多く並び、映画を観に来た人や観光客を迎え入れる。

新宿駅、西武新宿駅、東新宿駅の駅間の移動でも歌舞伎町を跨ぐため、ただ通行している人もたくさんいる。さらに私の会社も歌舞伎町にあるのだが、歌舞伎町周辺も含めて案外会社がたくさんある。そこで働いている人たちはランチや打ち合わせを歌舞伎町内でする。昼間の時間は他の街と変わらない人種が多い。ホストクラブやキャバクラも一般企業だ。企業としての業務は昼間に行うことが多い。他の会社が昼間に稼働しているからだ。私の会社でも財務、人事、広報、製作、衛生管理など一般企業と変わらない部署が他の会社とやり取りをする。そういう人間たちにとって歌舞伎町はただの職場にすぎない。

しかしそこに紛れて12時頃にはまだ昨日が終わっていない酔っ払いも道端でちらほら

見かける。さらに昼キャバと呼ばれる昼間から営業しているキャバクラ、性風俗店の客引きなどもいる。客引きは24時間いる。遊ぼうと思えばいつだって歌舞伎町は「夜」になる。

歌舞伎町が色気づく時間帯

15時頃から夜の住人と呼ばれる人たちが少しずつ街にやってくる。新人ホストは15時頃にヘアメイクを済ませてからお店に行き開店前の掃除をする。売れっ子のホストやキャバ嬢も同伴のために早めに歌舞伎町に来てヘアメイクをしてから同伴に向かう。17時頃には開店前の準備をする人たち、出勤するホストやキャバ嬢で街が色気づいていく。

私はこの時間が好きだ。戦闘態勢を整えたホストやキャバ嬢が引き締まった顔で街を闊歩している。みな自分が一番だと思うくらいの自信を持った表情をしている。それがプロだ。

この時間、歌舞伎町で一番賑わっている場所は、ヘアメイクサロンだろう。まさに戦場だ。時間にルーズであるが故にギリギリで準備をする、一分一秒を争うホストやキャバ嬢が集まる。スタイリストも大忙しなので、順番待ちをしている間にホストもキャバ嬢も化粧を整える。そしてスマホをいじる。お客様と連絡を取り続ける。今日の予定を決めるのに、この時間が一番重要だと言っても過言ではない。セットが終わったら鏡を凝視する。細部を自ら整える。ここがスイッチオンのタイミングだ。瞳孔がギュッと引き締まる。背中に一本筋が通る。ヘアメイクサロンを出るときは「いってらっしゃい」と声を掛けられる。その声に背中を押されて夜の蝶として羽ばたいていく。

夜の店を運営するスタッフたちの打ち合わせや会議も夕方に行われることが多い。お店で行いづらい打ち合わせや会議は喫茶店で行う。歌舞伎町で一番有名な喫茶店パリジェンヌでは、この時間はいろんな人たちが面接や面談をしている。歌舞伎町の舞台裏を感じることができる。喫茶店のルノアールも何軒か歌舞伎町にあるが、そこはまた様相が違う。水商売色はパリジェンヌよりも薄れる。1人のお客様も多い。ネットワークビジネスの勧誘もよく見かける。

歌舞伎町が面白くなるのは午前1時から

19時〜午前1時頃までは、たくさんの人で歌舞伎町はごった返す。雰囲気はどこの繁華街も変わらないだろう。その人数が多いと思ってくれればわかりやすい。週末は祭りのように人でごった返す。歌舞伎町が際立って面白いのは午前1時からだ。ほとんどのキャバクラやホストクラブは法令遵守で午前1時に営業を終了する。24時頃にどこのお店もピークを迎え、午前1時の熱狂真っ只中に強制終了して店の外に一気に放出される。

お客様たちは余韻に浸りながら街を回遊する。飲みに行ったホストクラブやキャバクラでアフターを取りつけている人は行き先が決まっている。しかしたいがいのホストやキャバ嬢は「後で連絡する」という曖昧な返答をする。みな一旦、お客様をすべて帰した後、店で一息ついてから考えるのだ。さて誰とアフターしようかなーと。もしくは数軒アフターを回るならば、どこから回ろうかなーと作戦を立てる。お客様側はどこにいるのがベストか？　を考えて連絡を待ちながら街を徘徊する。熱狂冷めやらない延長戦を求む欲望の塊が街を彷徨う。陽気で浮足立っていて眺めているだけで幸せな気持ちになる。

この時間は「陽」の時間だ。期待が蠢《うごめ》いている。そう、水商売とは期待させる職業だ。期待に応える職業ではない。遠足に行く前日を作るようなものだ。期待は、良くも悪くも裏切られる。期待通りにいくことなんてほとんどない。欲望は次から次へと欲望を生む。満たされることは永遠にない。アフターにホストやキャバ嬢が来てくれたとしたら、その先を求めてしまう。サクッと小一時間のアフターをこなして帰るのが綺麗な遊び方だし、ホストやキャバ嬢にとっても上手な仕事だろう。だが、そんな器用な人間は歌舞伎町には少ない。夜も深くなればなるほど、何が目的かもわからないまま時間は過ぎていき、お互いドツボにはまっていく。

この時間は「陰」の時間だ。意識も朦朧としてくる。お持ち帰りの攻防戦に敗れたおじさんたちは再び街を徘徊する。やけくそにキャッチされるがままに朝までやっているキャバクラに再び吸い込まれていく。ホストとお客様も路上で言い合う。疲れ果てた新人ホストたちが徒党を組んで近隣の寮に帰って行く。揉め事が起きるのもだいたいこの時間だ。

酔っ払いたちが試合終了に向かうとき

午前4時頃になると、もう酔っ払い祭りだ。男と女の攻防戦など意に介さない酔っ払いたちの饗宴の時間だ。ほとんどの人が覚えていないんじゃないかという泥酔祭りだ。この時間まで飲み続けると、もはやどうでもいい。先に帰った奴が意気地なしと見なされるチキンレースがそこかしこで繰り広げられる。

週刊誌などに載せられる酒池肉林の風景は、この祭りの終焉を迎えた意識朦朧の人々の試合終了直前の姿だ。中には12時間以上飲み続けている人もいるだろう。酒のせいで自己陶酔しすぎて周りなんて見えていないし、自分も周りを気にしない。自らが欲望の残骸となって漂うだけだ。

その頃から2部と言われるホストクラブやキャバクラの営業が始まる。日の出営業だ。この時間から出勤して、彼らは「夜」を始める。

このコロナ禍でも「新宿11チャンネル」という老舗ファッションヘルスは早朝から行列をなしていた。

欲望に時間は関係ない。いつだって夜への扉が用意されているのが歌舞伎町なのだ。

元々森と沼だった歌舞伎町の歴史

歌舞伎町で一番古い観光地

歌舞伎町は変わらない部分と変わらざるを得なかった部分がある。自らが招いた結果であることがほとんどだが、そのたびに必ず復興しているのが歌舞伎町の逞しさだ。

歌舞伎町を案内する際に、必ず行く場所がある。歌舞伎町弁財天だ。そしてそこにある石柱を紹介する。「尾張屋寄贈大正十二年」と書いてある。歌舞伎町で一番古いものだろう。

歌舞伎町は元々、森と沼だった。そこを尾張屋銀行の峯島喜代が１８９３（明治26）年に買い取って埋め立てた土地だ。埋め立てるときに大量の蛇が出たらしい。その蛇を供養するために上野寛永寺から弁財天を呼びよせて祠《ほこら》を作った。

それは今でも歌舞伎町公園として残っている。年に一度、弁財天様の祠を開くときがあり、歌舞伎町商店街振興組合の方々を中心に集まる。そして新宿十二社熊野神社の例大祭の際には、歌舞伎町睦の屯所もここになる。ここは歌舞伎町の氏神様のような存在だ。

ここは以前は振興組合の土地だった。その半分を歌舞伎町公園として新宿区に渡した。今も、公園の隣のビルは振興組合の所有だ。そのビルの2階部分が公園側から見て祠になっている。そこに弁財天様は収まっている。我々は公園に集まって隣のビルに向かって拝むのであるが、そのビルの1階と地下には老舗ファッションヘルスの「新宿11チャンネル」が入っている。

宮司が来て大幣《おおぬさ》を振ってもらって、我々は「新宿11チャンネル」に向かって頭を下げて祈るのである。

ワクワクを大事にしてきた街

戦後、7代目峯島茂兵衛からのちに歌舞伎町になる地域の町内会長だった鈴木喜兵衛を中心とした復興協力会に歌舞伎町の大部分の土地が提供され住民に再分配された。その後、復興協力会は行政と協力して都市計画を作り、民間中心で街を再生させようとした。

しかしそんな綺麗事だけで歌舞伎町が歩んできた訳ではないことは周知の事実だ。戦後の混乱の中、アナーキー状態の焼け野原にエネルギーを注入したのは暴力団だ。終戦後すぐに新宿駅東口で「光は新宿より」の横断幕を掲げた尾津喜之助の関東尾津組が作った闇市が人々の生活を支えた。物が何もなくなってしまったそのとき、大事なのはスピード感だった。尾津喜之助はインフォーマルではあるがたしかに市場を作ったのだ。行政の施策を待っている余裕は人々にはなかった。尾津豊子『光は新宿より』によれば、関東尾津組は、戦争中も無料診療所を作ったり、炊き出しをしたりして、疎開することなく新宿にずっと留まっていた。だからこそ、即座にマーケット開設を実行に移せたらしい。さらに同書によれば、当時の都知事、所轄の警察署長、警視庁などとも面談し、承諾を得た闇市だったという。

のちに尾津が自由党からの公認で衆議院選挙に立候補したことを鑑みると、行政が治安維持を含めた小売りの管理を尾津に託した、という面があったのではないかと思う。新宿だけでなくあらゆるところで戦後は闇市が開かれて、人々の生活を支えた。新宿では関東尾津組をはじめいくつかの組が新宿駅周辺にマーケットを開いて、たくさんの人が集まった。

しかし、それは長くは続かない。世の中の状況が落ち着いてきて元々の駅周辺一等地の地権者たちが土地の所有権を主張することで、闇市関係者は撤退を余儀なくされた。マーケットを開いていた組たちは、そこで商売をしていた多くの人の行き先を歌舞伎町に用意し、人々は歌舞伎町に流れていった。歌舞伎町はこのときは未開の地だったのだ。

人が集まればさらに人が集まる。鈴木喜兵衛はワクワクする街にしようと、T字路を意図的に増やした。突き当たらなければ先がわからない、そんなワクワク感を演出しようとしたのだ。細かく分けられた区画、T字路は紛れやすく、身を隠したいあらゆる人もおびき寄せた。結果としてさらに人が集まった。いろんな意味でワクワクする街になっていった。

「安全だけど安心しない街にしたい」と長く振興組合の事務局長を務めた城さんは言っていた。

戦後数年は、安全も安心もなかっただろう。しかしワクワクはあったに違いない。外国人、やくざも含めて、たくさんの人が集まって、違法合法のあらゆる手段で人を惹きつけた。綺麗事にするつもりは毛頭ないが、たくさんの人が血と汗を流しながら通り過ぎていって今の寛容で紛れやすい猥雑な街の基礎を作ったのだろう。

そんな寛容さのおかげで、60～70年代の新宿が、大島渚監督の「新宿泥棒日記」の世界観のような文化を醸成させる土壌にもなっていたのではないかと思う。本間健彦『60年代新宿アナザー・ストーリー』に詳しいが、その頃は確かにカウンターカルチャーの拠点としても新宿は機能していたようだ。歌舞伎町にもエネルギーに満ち溢れた若者たちが集まっていたことが想像できる。その時代に私はとても憧れる。

カルチャーだけでなく、性産業においてもノーパン喫茶やのぞき部屋という伝説のような店が横行したのもその頃だ。そんな土壌が安全な訳がない。欲望にきりはなく、金という儚い夢にすがる人々が集まって、歌舞伎町は誰も取りまとめることなく、そして誰でも生きられる街になっていったのだと思う。

私がいた90年代以降の歌舞伎町については、私の思い出と共に見ていこうと思う。

歌舞伎町はいつから
ホストクラブの街になったのか

90年代のホストクラブは深夜1時の開店

私は、１９９７年に新人ホストとして歌舞伎町にやってきた。最初に教わったことは、歌舞伎町の地理だ。通りの名前、交差点の名前、ビルの名前、深夜までやっている店の名前……。店の中のことより店の外の事情を最初に教わった。

当時のホストクラブは深夜1時に開店して朝7時に閉店、だから新人は23時に出勤して買い出しに行く。買い物は深夜やっているスーパーエニイか塩田屋（ドン・キホーテができてエニイは潰れた）。お店から買い出しに向かう途中に先輩から街の事情を教わる。この通りではキャッチをしてはいけない。この道は危ないから通らないようにしろ。こういう風貌の○○さんとは目を合わせてはいけない……ドラクエみたいだなーと思ったことを覚えている。先輩と言っても2カ月前に入店した20歳の新人ホストだ。それでも19歳の私には先輩がとても大きな存在に感じられた。

当時はキャッチが当たり前に仕事の一部だった。23時に出勤して掃除して買い出ししたら、お店が混み始める3時頃まではキャッチの時間だ。1時頃から釣り場を探す釣り人のように歌舞伎町のいろんなキャッチスポットを巡る。キャバクラや風俗店の前で声を掛けてはいけない。お店からタクシーを捕まえやすい大通りまでが絶好のキャッチスポットのはずだ。しかし、そういうあからさまなスポットは避けるのが暗黙の了解だった。通る人もキャッチされる覚悟で歩くような場所がキャッチスポットなのだ。

入店当時私は、引越屋のバイトで貯めたお金で買ったシンプルなフェンディのスーツしか持っていなかった。先輩たちにサラリーマンみたいと弄《いじ》られ、じゃらじゃらした飾りがたくさん付いた黄色や青地の一昔前のスーツを譲り受けた。

キャッチスポットには私同様、ホストになり立ての御下がりスーツを着た新人ホストが溜まっていた。お互い顔見知りになるが友達にはならない。他店のホストと我先にと競いながらキャッチをする。不思議とキャッチ中にホスト同士で揉めることはなかった。

そんな合間に安い食堂でご飯を食べる。私たちはチェーン店の福しんか、今でもあるつるかめ食堂でよく食べた。ずっとキャッチをしているのは疲れるので、ゲームセンターでサボる。30分に1回お店に報告の電話を入れる。２０００年代になって迷惑防止条例によってキャッチが規制されるまでは、売れないホストの主な仕事場は、店ではなく外だった。居酒屋のキャッチ、他店のホストのキャッチ、さまざまなキャッチが街にはいた。お客様を呼べばキャッチしないでいい。キャッチをしなくなるということはホストとしてのレベルが上がった証拠だった。みな、そこが最初の目標だった。当時歌舞伎町には大小合わせて約30軒のホストクラブがあった。

ホストクラブの起源は１９６５年の東京駅八重洲口にできた「ナイト東京」で、女性客の社交ダンスの相手をするのがホストの始まりと言われている。社交ダンスの雰囲気を残しながら現在に通じるホストクラブの基礎を作ったのは紛れもなく１９７１年に愛田武氏が歌舞伎町に作った「クラブ愛」だろう。そこからホストクラブの中心は歌舞伎町になっていく。80年代は愛田氏の経営する愛田観光の天下だったが、同様に社交ダンスができる大箱店が７軒ほどあった。まさに漫画『ジ・ゴ・ロ』のような世界だったのだろう。

80年代になり若いお客様も増えていき、私がホストを始める90年代にはバブル崩壊の煽りを受けた男性向けのクラブなどが家賃を軽減するために、営業終了後の深夜にまた貸しで女性向けのクラブを始めたのが、ダンスフロアがないホストクラブが増えていった経緯だ。

90年代には愛田観光以外でダンスフロアがあるホストクラブは２、３軒しかなくなり、私がホストを始めた97年にはホストクラブの主流は、深夜営業の20人程度のお客様しか入らない小さな店たちだった。愛田観光は年齢層が高いホストが働く店として別枠扱いだった。ネクタイ・スーツが必須で若い子が働きたくなるような雰囲気ではなかった。

その後、約20軒の若いホストを中心とした深夜営業の店がホストクラブの主流に変わり、お客様も仕事終わりの水商売や風俗の方が中心になっていく。この時期がホストクラブの大きな転換期だった。深夜のまた貸しという状況でホストクラブが乱立していけば当然秩序は乱れていった。

この時期のことは、石井光太『夢幻の街』に詳しい。

ホストのカッコよさは「漢らしさ」だった

当時のホストたちは「漢《おとこ》」だった。女を3歩下がって付いてこさせる男がカッコいい。という文化だった。接客で楽しませる。というよりも、如何にモテる男でいるか？ということが価値基準だった。私が入店したお店の先輩たちも全員漢だった。

ある先輩に、3人バラバラのお客様を呼んで並んで座らせて、私に「接客してみろ」と言われたことがあった。3人ともお互いの顔は知っている。でもそれぞれがその先輩ホストの一番の女だと思っている。それを並ばせても3人のお客様は文句を言わなかった。私はただ1人で喋り続けた。

お店は売上を上げる建前の場所だった。「うらっぴき」という言葉が当たり前にあって、表向きは禁止されているが、たいがいのホストはうらっぴきをしていた。つまり、お店以外で直接お客様に会ってお金を貰う。そして店を辞めてヒモになってしまう人もたくさんいた。新規でやってくるお客様は「枝」と呼ばれる元々のお客様の連れか、キャッチで捕まえてきたご新規さんのどちらかだった。『マンゾク』『ナイタイマガジン』という風俗誌にちょっとだけホストコーナーがあったが、それを見て来る人がごく稀にいた。

だからまずは、枝を連れてきてくれる幹のお客様に認められて枝を紹介して貰うことが大事だ。それはイコール、そのお客様が指名している先輩ホストに可愛がられることが大事という意味だった。というか、お客様は大体ホストの言うことを聞くので、先輩に好かれることの方が大事だった。先輩に認められるとお客様にも認められるという図式だった。

そう言うとお客様はホストの言いなりの可哀想な搾取される女性たちのように聞こえるが、ほとんどの場合は逆だった。表向きはホストがカッコつけて女性を手玉に取っているように見えるが、その実、ただお客様に手の上で転がされているだけだったように思う。お店で見栄を張らせて貰っているだけだった。

今思うと、漢たちはみな、子供だった。お客様の女性たちは粋でカッコいい女性ばかりだった。私は正直、先輩たちのお客様たちのおかげで新人時代を乗り切れたのだと思う。入店した日に初めて着かせてもらった席では緊張して何も話せなかった。お客様は私を品定めするように一瞥《いちべつ》して、他のホストたちと談笑していた。黒髪が光る切れ長の大きな目をした80年代のアイドルを大人にしたような雰囲気の女性だった。色白で一見か弱そうなのに、所作や態度は豪快な姐さんという感じ。タバコの煙を大きく吐く人だった。帰り際に「入店祝いね」と言ってサッと一万円札を渡してくれた。私のことなんて見えていないと思っていたので驚いた。

ホストクラブにやってくるお客様たち

お客様に職業を聞いてはいけない、ということを最初に教わった。性風俗で働いている人が多いから、風呂場に関わるような話、働いている夜の時間に放送しているテレビの話、さらにプライベートの話は基本的にしてはいけないと。じゃあ何を話せばいいのだろうか？　と思ったが、目の前のライターについて話し始めればいいんだよ。と教わった。

当時、「フードル」と呼ばれるファッションヘルスで働いているアイドルのような美貌の人たちが風俗誌の表紙を飾っていた。ある風俗嬢を予約するために予約開始時間に電話が殺到しすぎて回線がパンクしたという話も聞いた。職業を聞いてはいけないと言われていたので、最初の頃は誰がどんな仕事をしているのか？　なんて想像もつかなかったし、先輩にも特に聞かなかった。だから毎日美人のお姐さん方とお話をするというのは非常に楽しかった。だんだんと慣れてきてお客様の仕事がわかるようになってから風俗で働いている人が多くて驚いた。

吉原で働いている人たちはひと際美しかった。遊郭の名残がまだあったのだろうか。品格も兼ね備えている人が多かったし、そうでなければ働けないような場所だったと思う。

個性豊かで、粋なお客様が多かった。ホストに騙されている可哀想な女性ではなかった。クラブのママさんが毎日のように仕事終わりに酔っぱらってやってきて若いホストに怒られていた。毎日コントを見せられているようだった。顔を腫らして「いつものことだから」と言って平気で飲んでいる姐さんもいた。

ストリッパーは90年代歌舞伎町の花形

ストリッパーの方々は団体でいらっしゃることが多かった。上下関係が厳しく姐さんが飲みに行く店に後輩を連れて行く習わしがあった。地方公演が終わって東京に帰ってくるとまとめ飲みするように大人数で豪快に騒いで飲む。飲み方も勢いがあって私は苦手であまり近づかないようにしていた。

有名ストリッパーに指名されていることはホストとしての箔だった。同様にＡＶ女優もそうだった。ストリッパーという職業は歌舞伎町では花形の仕事だった。ストリッパーの女性たちは飲むときも自信に満ち溢れていた。当時は深夜テレビなどに取り上げられることも多かった。

現在、歌舞伎町にストリップ劇場は２軒しかない。その原因の一つが「図書館」である。新宿区役所には1階に本棚があるのだが、そこが「図書館」という名目らしい。図書館の半径２００メートル以内では新しく風俗営業ができない。というルールがある。２０１７年、区役所の裏にある老舗のストリップ劇場が数回にわたる営業停止を受けて免許を剥奪された。そうなると、新しく免許を取り直して営業を再開することはできない。40年の歴史が幕を閉じた。

粋なお客様に支えられて、ホストたちは毎日遊びまわっていた。遊ぶことが仕事のように毎日先輩たちは遊んでいた。いや、先輩たちは毎日ではなかった。私たち新人ホストは、先輩たちに代わる代わる連れ出されるので、毎日遊んでいるのは我々新人ホストだった。遊びという遊びを何から何までしたのではないだろうか。しかし、そうやって先輩たちと遊びながら新人ホストは漢を学んでいく――と言われていた。実際に先輩の荷物を持つこと、先輩の行く先のドアを開けること、先輩の箸袋を開けること、タバコに火をつけること……常に先輩の様子を窺い、先回りして気を使うことを教え込まれた。

喧嘩、揉め事、暴力がいつも近くにあった

90年代のホスト界は、まさにアングラだったと言える。昔から世間でイメージされているような怖い世界だった。暴力はいつも隣にあった。しかし、その中に身を置いていた者として言えるのは、みな、もがいていた。ここではないどこかに行きたいと誰もが思っていた。どこに発散していいかわからないエネルギーをみな持っていた。

ホストクラブ同士の喧嘩もしょっちゅうあった。店の中での喧嘩もしょっちゅうだった。喧嘩が強いことも漢の魅力の一つだ。歌舞伎町における履歴書は悪ければ悪いほどエリート扱いだった。大学に通っているホストは1人もいなかった。

ある日先輩がびりびりに破れたスーツを着て、出勤してきた。ホスト狩りにあった〜と笑っていた。数人のチーマーに絡まれて公園に連れていかれて身ぐるみはがされて、去っていくチーマーたちを後ろから全員襲い返してきたと言っていた。そんな揉め事も日常茶飯事だった。しかし大怪我をする人はほとんど見たことはなかった。

揉め事も遊びの一つだったように思う。暇つぶしに喧嘩していた。漫画『クローズ』

のような日々だった。不良学生時代を過ごしていない私は、新鮮で楽しかったし、そういう自分がバレないように舐められない態度を取るのに必死だった。

今思うと、信じられないくらい暴力ばかりの日常だった。誰かしら毎日怪我をしていた。私の入店初日には、もう1人新人ホストがいた。私よりかなり年上だったように思う。「同期だし気を許せるのは君だけだ。頑張ろう」とキャッチに出たときに言われたが、営業終了後には、正座をさせられて殴られていた。私も入店初日でそんな光景を見たのに翌日もよく出勤したなと思うが、当時は彼は殴られてもしょうがないな〜と入店初日ですら思ったことを覚えている。そういうぎりぎりの緊張感があったのだろうか。

そう言えば、入店して最初に経験したイベントは、先輩ホストの出所パーティーだった。覚せい剤で逮捕されていたそうだ。「おめでとう」とみなシャンパンを入れて祝った。

就職氷河期世代ホストの台頭とホストの大衆化

ホストクラブの様相が変わっていったのは、世の中の変化、時代の変化、街の変化……いろいろあるが、ホストに絞ってみると、店を超えて我々世代が台頭したことが大きかったと思う。我々は就職氷河期と言われた世代。ホストの人数は一気に増えた。店も増えていった。

ホストクラブをしっかりビジネスとして考える若手の経営者が増えて、数軒が給料システムを大きく変えた。ホストへの売上バックの比率を一気に上げたのだ。それによってホストたちはうらっぴきではなく店でしっかり売り上げて、給料で稼ごうという風にマインドが変わっていった。私が働いていた店も周りの店の風潮に合わせてそうなっていった。今までのように漢であることよりも、売上が高いことが重要視されるようになった。

私もその波を作ることに貢献した1人だ。ほとんどが年上の後輩だった。そしてみな不良だった。その人たちに舐められないためには結果で見せるしかなかった。自店でナンバーワンになってからは歌舞伎町の他の店の売れっ子たちを意識し出した。そうやって我々世代は店を超えて売上争いと知名度を争った。

そんなときに、テレビ番組「稲妻！ロンドンハーツ」という番組の「ザ・スティンガ

ー　俺の彼女をナンパしてくれ!!」という人気コーナーにプロのナンパ師としてホストが採用された。私は最多出場した。ゴールデンタイムのテレビにホストが堂々と出るなんてことはそれまでなかった。この番組によってホストの存在は世間に大きく知れ渡ることになった。

その後「ロンハー」に続くように、「中居正広の金曜日のスマイルたちへ」などホストがテレビで扱われる機会が増えた。これによってかなりアングラから脱却せざるを得なかったように思う。

ホストを扱う雑誌も増えてきた。ベースは風俗の求人誌だが、そこにホストのグラビアや広告もたくさん掲載され出した。ホストの写真集なんかも何冊か出た。それらは店を超えてホスト同士が競い合う道具になった。大きく扱われること、集合写真ならばどの位置で映るか、そうやってホスト界のヒエラルキーを作って競わすことが売上を上げることに繋がっていた。それは今では形を変えてＳＮＳのフォロワー数に移行しただけで構造は変わらない。当時は広告を出すのもホスト自身がお金を払うことがほとんどだった。

ホストクラブの増加と風俗業界の飽和

この時期、高校生売春ブームの世代が18歳を超えた。風俗業界が買い手市場になっていた。稼げる子と稼げない子の差が激しく出るほど風俗業界は飽和していた。それに比例するようにホストクラブのお客様が増え、ホストクラブの数も増えていった。

ホストたちは、たいした顔をしている訳でもないのに、テレビに出たり写真集を出したり、アイドルのように持て囃されたりして売上を上げていった。私もいつの間にか歌舞伎町のトップホストになっていた。

私自身売れっ子になるまでの記憶はたくさんあるが、ナンバーワンになってからの記憶はあまりない。一生懸命仕事をしていたのだろう。遊ぶことも減ったように思う。いや、そんなことはない、変わらず遊んでいたし、喧嘩もしていた。しかしそれらは新しいことではなかったから強烈な記憶にはなっていないのであろう。

私は出勤するとき以外、歌舞伎町に来ることはなくなった。自宅も気取って青山に引っ越していた。２０００年頃は、もういつホストを辞めようか。ということばかり考えていた。

なのに、辞めようと思った年に、大きな喧嘩を起こしてしまった。そして辞めたくても辞められなくなった。

ホストのメンツと夜の世界のルール

ホストは看板商売

21世紀になる直前から、私は不動のナンバーワンになっていた。歌舞伎町でも3本の指に入るような売れっ子ホストだ。ホストをやっていて私を知らない人はいなかった。ある日営業終了後、お客様を後輩と2人で送り出した。区役所通りに出てタクシーを止めてお客様を乗せて見送った。その後、店に戻る我々の背中に「こっちが先にタクシー待ってたろーが。ふざけんなよ」という罵声が他店のホストから投げかけられた。我々は酔っていなかった。気を使った後輩が、「すいませーん」と軽く言い、「酔っ払いですよ、あんなバカほっといて戻りましょ、ささ」と私を店の方に促した。

ホストは、看板商売だ。後輩もわかっている。私がここで振り返らないで店に戻ることがカッコ悪くないように仕向けてくれたのだ。しかし、そのホストはしつこく何やら叫んでいる。当時は私も若かった。振り返ってしまった。

そのホストは肩を揺らして私に向かって歩いてくる。私は黙ってただ立っていた。ぶつかる直前で止まる。「舐めてんのか？　このやろう」と意気込んで迫ってくる。お客様の前でカッコつけたいのだろう。まだそういうホストはこの時代にはいた。私は冷静だった。

当然、私のことは認識していると思ったので、「看板下ろしてタイマンはってやるよ」と言ってやった。相手は「舐めてんのか？　俺に勝てると思っているのかよ」と明らかに怯んだ表情で、口喧嘩を続けようとする。唇が震えていた。そんなことにならずに、我々が引いて終わるだろうと思っていたのだろう。たいがい実際の殴り合いの喧嘩にはならず、こういういざこざで終わることがほとんどだ。もう私が優位のモードだった。

「看板下ろして」というのは、店同士のおおごとにしないということだ。店の格も個人の格も私の方が上なのに、あえて看板を下ろすというからには、私が余程腕に自信があると相手は思ったことだろう。

正直、私も途中で向こうの店の人間が止めに来るだろうくらいに安易に思っていて実際にタイマンなんてはる気は毛頭なかった。疲れていたし、さっさと店に戻りたかった。

「やってやるよ。ついてこい」とそいつが言ってきた。まー、途中で止めが入るだろうと高をくくって付いて行った。もしくは途中でやっぱりやめると言い訳するか、軽い気持ちだった。腕っぷしの強い後輩もいたので、どうにでもなると思っていた。いきなり殴られても大怪我する強そうな相手ではなかった。だからどのみち私の格好はつきそうだった。

しかし、そいつが連れて行った先はそいつの店の下で、酔っぱらった仲間たちがたむろしていた。「揉め事かー?」と騒ぎ立てた1人がいきなり私に飛び掛かってきた。それを合図に10人くらいにもみくちゃに袋叩きにされた。反撃する隙はなかった。

　まだラグビーをやっていた体力も残っていたし、腕力にも自信があったが、攻撃するより防御の方が断然疲れる。後輩と向こうの店の冷静な人間が間に入って、その場を鎮める頃にはへとへとになっていた。相手たちは騒ぎながら店に戻り、私も後輩が店に連れ戻してくれた。

　とりあえず私は疲れていた。そして冷静でもあった。店の人間たちは「戦争だ！」と殺気だって、相手の店に乗り込もうとした。完全に非は向こうにある。それは向こうの店もわかったようで、すぐに相手の店の偉い人間がうちの店長に連絡して謝ってきた。店長はみなを鎮めた。

　それは大人の話し合いにするということだった。お前が格好つくようにするから、と言ってくれた。私はラグビーをやっていたから痛みには鈍感だったが、一応病院に行った。このときは特にむかついていなかった。それよりも疲れて眠かった。

　起きてすぐに店長から連絡があった。先方のケツモチのやくざが大金を持って謝りに来たと。それは我々堅気の世界では終了のゴングだ。店長は「もうどうしようもないんだ、ごめんな」と私に謝っていた。

私は気持ちの整理ができていなかった。昨日の私の態度に間違った部分は特になかった。後悔する部分も特にない。でも、どうも腑に落ちない。

夜お店に行って裏のスタッフルームでしばらく考えていた。あの絡んできた奴の顔を思い出すとむかつくが、それよりもその前に震えていた唇の方が印象深く、悔しさはない。

だけど、お金を貰って終わりでいいのだろうか。

私は驕っていたのだ。歌舞伎町のホストはみな私のことを知っている。散々イケイケでやってきて他店とも何度も喧嘩をして、メンツを保ってきたという誇りを持っていた。しかし実際は、どこのホストだかわからないチンピラのような奴に絡まれて、袋叩きにされるようなレベルの舐められた存在だった。

これで終わりにしてはダメだ。今まで舐められないためにやってきたんだ。あいつらは言うだろう。「手塚を袋にしてやったよ」と。

そんなことを言われるためにやってきた訳ではない。感情的になってきたが、冷静に考えもした。所詮その程度のホストだったんだ。そんな私が歌舞伎町のナンバーワンになるのに、ここで数百万貰って終わりでいいのか？　そんな奴がナンバーワンになれるのか？　私のメンツは上がるのか？　いや、確実に下がる。

酔っぱらった後輩がスタッフルームにやってきて横になった。そいつにこう聞いてみた。

「今から昨日の店に乗り込もうかと思うんだけど、どう思う？」

「行きましょうよ」

即答だった。

スタッフルームにある使い古したおしぼりを両手に巻いて、店を飛び出した。

営業中の、そいつらの店に向かった。何も計画はない。

店のドアを開ける。入り口のキャッシャーにいた人はキョトンとしている。無視して店内に入っていく。初めて入る店だ。古めかしく暗い店だった。営業中の店内を歩く。

昨日の奴を探す。すぐに見つけた。私の顔を見てぎょっと驚いて後ずさりするそいつに向かって走り、殴って、摑みかかった。その瞬間一気に周りのホストたちが襲い掛かってきた。後輩がそれを必死に止めるが、かなわない。私は、床に押しつぶされて全身を蹴られまくる。そいつの髪の毛だけを放さない。そいつは逃げようともがく。両手で防御していない身体は、昨日よりも激しい痛みを伴う攻撃を食らい続ける。もみくちゃだ。

「キャー」とお客様の声も響く。

しばらくして、そのお店の店長らしき人が彼らを引きはがす。

我々はその場にへたり込む。手には大量の髪の毛が絡まっていた。全身が悲鳴を上げていた。店の一角のソファーで待っているように言われた。疲れ果てながらも、ソファーに土足で上り、その上から店全体を見渡すように座った。後輩は私の横のソファーに座って「タバコ吸います？」と私を見上げて差し出してきた。私はタバコを吸った。

「私の○○に手を出したら許さないからね！」と叫ぶお客様や泣いているお客様もいた。

ホストたちは指示が出たのか私には構わず、順次お客様の送り出しをしていた。私は高い位置から見下ろしながら乾いた口から煙を吐いて、眺めていた。うちの店長がやってきた。バカ野郎と頭を叩かれてソファーに座らされた。いつも優しい店長だが当然怒っていた。

あからさまに怖い方々が数人店に入ってきた。そしてシャッターを閉めた。うちの店長をいきなり殴った。店長は謝った。そしてそこに座れと床を指した。我々は床に正座した。

ケツモチのメンツを潰すとどうなるか

私の行為は、相手のケツモチのメンツを潰したのだ。和解をうちの店も了承してすでに終わった話をぶち壊したのだ。何よりもメンツを大事にしている方々だ。許す訳がなかった。夜の世界で生きていれば常識だし、その抑止力が、ある意味で歯止めになって、街の均衡は保たれていた。私は夜の世界のルールを破ったのだ。自分のホストとしてのプライドだけを考えて掟を破った自分勝手な奴だった。

それなのに私は、とんでもないことをした実感はまだなかった。ある程度の仕打ちを受けるに当然のことをしたと思っていたから冷静でいたが、すぐに足が痺れて、早く終わって欲しいと思った。ちょいちょい殴られたり、脅されたりして時間は過ぎる。私よりも店長への仕打ちが酷かった。横に座っている店長は謝り続けていた。冷静に脅す年配の人、大げさに威嚇する若い人、役割分担がわかりやすかった。

「コンクリ用意しとけよ」なんて映画の中のセリフだと思っていた。すべてが映画のワンシーンのようだった。私の中にはまだ客観的な自分がいた。このときまでは。

冷静に脅すやくざの白い革靴が振り子の先端のように店長の顔めがけて小さい弧を描き、店長の顔に突き刺さった。ドボッという音がしてこぼれ落ちる目玉をすくって元の位置に戻すように店長は目を抑えた。ドバッと血の塊が床に落ちた。目を抑える手から大量の血が溢れてこぼれた。床は真っ赤に染まっていった。自分がやられた方がましだった。胸が締め付けられた。

ここから先は地獄だった。早く終われと願うばかりだった。結果的に私は働いていたお店の上司たちに大迷惑をかけてしまった。大怪我をさせてしまった。

数時間後、外に出て私は血まみれの店長に泣きながら謝った。本当に申し訳ないと思った。悔しさでも情けなさでもなく、本当に申し訳ないと思った。「いいんだよ、大丈夫だよ、泣くなよ。バカだなーお前は」と私の涙よりも目から大量の血を垂らしながら笑って肩を抱いてくれた。

本当に申し訳ないと思った。私のために頭を下げてくれたこと、そして許してくれたこと。その後もこの件に関して店長が私を責めることは一度もなかった。

ホストたちの独立ブームが作った新しい潮流

独立するにはやくざとの関わりが必至だった

店長の目は歪んでしまった。その目を見るたびに胸が苦しくなったし、店長に報いるために結果を出さなければと思った。

それから2年間ほどホストを続けた。売上はどんどん上がっていたし、知名度も上がっていた。一度もナンバーワンから落ちることはなかった。ホストとして脂も乗ってきた。ただ、言い方は生意気だがホストとして安定したことが面白味をなくさせていた。そして、我々世代同世代の他店の売れっ子たちも同じような時期に差し掛かっていた。は、ほぼ同じ年に独立することになる。

これが、ホスト界にとって大きな転機になる。これまでホスト界では独立することは基本的にご法度だった。独立するには深くやくざと関わりを持つしかないと私たちは思っていた。私はやくざになる気もないし、ホストクラブの経営者になる気もなかった。しかし惰性で続けた2年が自分のキャリアに大きく響いた。25歳という年齢が当時重く感じられてフットワークを鈍らせた。

今思えば何でもチャレンジできる年齢だが、歌舞伎町で名前を作り上げてしまったこと、その重さ、それが新しい世界にチャレンジする勇気をそいだ。

それぞれ思いは違うだろうが、この独立ブームがホスト界に新しい潮流を生んだ。

我々の世代はメディアに出て影響力を持っていたことが大きく働いた。やくざも影響力が強い者には手を出しづらい。さらに元々いた店のオーナーたちも我々が抜けた後の次世代ホストを作るためには我々を見本にさせたいと思い、面倒を引き受けてくれたのだ。

２００３年、私は、「スマッパ」という新しい店をオープンさせた。歌舞伎町に来て6年、26歳になったばかりだった。当時の歌舞伎町では、20代後半のホストは大ベテランの扱いだった。今ではホスト業界の売れっ子の中心は30歳前後。当時はほとんどのホストが30歳になる前に歌舞伎町を去っていた。そしてその過去を消して新しい人生を歩んでいた。

闇金ブームと治安が悪化した2000年代

よくホストの人たちはホストを辞めた後は何をするのですか？　と聞かれる。しかし私の先輩たちは何をしているのかまったくわからない。どこに行ったのかもわからない。たいがい黙っていなくなる。歌舞伎町に戻ってきた人はわかるが、それ以外の人たちはどこかに消えてしまった。最近はＳＮＳでふと見かけるようになったが、当時は「ホストの先」はまったく見えなかった。そして自分たちがそれを作らなければという気概もなかった。私はただ、やれることが他になかったからホストクラブをオープンさせただけだった。その当時もまだ「俺の本来の居場所はここじゃない」と歌舞伎町も歌舞伎町の人々も見下していた。自分がどっぷり歌舞伎町に浸かっていることも、抜け出せなくなっていることも認めたくなかった。

だから変わらず私は、歌舞伎町で遊ばなかった。仕事場としての認識しかなかった。経営者として多少の自覚も芽生え始めた頃は、余計に歌舞伎町以外の人たちと交流するようになって知見を広めようとした、仕事以外で歌舞伎町に来ることはなかった。気取って西麻布や六本木で遊んでいた。自然と歌舞伎町のムーブメントとは関わらない店作りをしていった。

当時の歌舞伎町は闇金ブームで沸いていた。色黒短髪でムキムキの身体をしてジュラルミンケースを持ったヤカラ系と呼ばれる人たちが連日あらゆるところで大金をバラまいてひと時の栄華を謳歌していた。表に出せないお金を稼いでいた彼らは、キャバクラで湯水のようにお金を使っていた。その流れは深夜のアフターバー、ホストクラブへと拡がり歌舞伎町はバブルだった。

歌舞伎町はどこもかしこもヤカラ系の人が闊歩していた。治安も悪くなっていった。私はますます歌舞伎町に近づかなくなった。自分の店のホストたちにも、そういう流れからやってくるお客様ではなく、歌舞伎町にあまり来ないようなマダム系のお客様を持たせるように奔走した。うちの店はまったく歌舞伎町バブルには乗れなかった。

刹那的に大金を使うヤカラ系に翻弄されたキャバ嬢、ホスト、さらにスカウトマンたちをモデルにした漫画や映画が流行していた。歌舞伎町にいながら私にとっては遠いところの話のように感じていた。

90年代はアングラだったが秩序があった。自浄する節度があったように思う。しかし、この時期はまさに無法地帯のようになっていた。ぼったくりや悪質なキャッチも増えていた。

借金をキャッシングと言い換えた手法と同じように、ホストクラブをメンキャバという呼び方にして健全さを売りにするだけの行儀の悪いホストクラブや、大阪お笑いブームに乗った関西系ホストクラブなどが歌舞伎町バブルに乗って一気に勢力を拡大していった。

私はそんな歌舞伎町の状況を醒めた目で見ていた。

歌舞伎町にある程度の期間いると、自分自身にも街にも辟易してしまうのかもしれない。距離を上手にはかって長く住人としていられる人は、ほんの一部だ。結果として、私はこの時期に歌舞伎町を離れていたことが、歌舞伎町との適度な距離を取れる自分を見つけることになったと思う。同時に、外から俯瞰した歌舞伎町の魅力がわかるようにもなった。

歌舞伎町の混沌と秩序のバランスを築いた人たち

戦後の焼け野原と歌舞伎町商店街振興組合

この時期の私は、歌舞伎町の主流の人たちとはまったく違う動きをしていた。エコやロハスなど環境問題がトレンドの社会に触れて、表参道でゴミ拾いをしたり、ＮＰＯの友達と語り合ったり、地域そして社会、という観点を持てるようになっていった。

そんな中、ひい祖父さんが歌舞伎町の基盤を作ったという歌舞伎町一番街の入り口にビルを持つ家系の杉山文野と出会った。文野に紹介されて私は歌舞伎町商店街振興組合と関わりを持つようになる。

歌舞伎町は戦後焼け野原から地元の商人たちで都市計画を進めた街だ。同組合の『歌舞伎町の60年　歌舞伎町商店街振興組合の歩み』によると、その中心人物だったのが、先にも書いた鈴木喜兵衛という文野のひい祖父さんだ。鈴木喜兵衛ら地元の人たちは、「復興協力会」を設立し、借地権を一本化し、道路整備、区画整理を行って土地の再割り当てを実施し、自らの手で街を作っていった。復興協力会は名前を変えつつ、１９６３年の商店街振興組合法施行と共に、歌舞伎町商店街振興組合と名称を変えて今に至る。日本で最初の振興組合だ。

　鈴木喜兵衛らは「道義的繁華街」を名目に掲げ、文化を中心に歌舞伎町を繁栄させようとした。歌舞伎座を持ってこようと試みて歌舞伎町という名前になった。実際には歌舞伎座を誘致することはできなかったが、コマ劇場を中心に、多くの映画館が営業するなど、その心意気は継承されていった。

　まさに彼らは住人であり商売人であった。細かく区分けされた土地の1階で商売をし、階上を住処とする人がたくさんいた。そして自らの商売だけでなく街全体のデザインを考えて行政と連携し、現在のシネシティ広場を囲う場所が文化の中心となるように大きな会社を誘致しようと奔走した。しかしみな、街のことばかり考えてもいられない。自分の商売優先なのは当然だ。

木村勝美『新宿歌舞伎町物語』によれば、鈴木喜兵衛と他の住人との温度差はかなりあったようだ。先に述べたように駅前から追いやられた人たちなど、あらゆる人が自分の利益優先で歌舞伎町に集まって町を形成していった。それでも理想を追い求め、彼が孤軍奮闘した姿を見た人間たちがいたからこそ、鈴木喜兵衛が先頭に立たなくなった後も振興組合が文化を中心に地域を盛り上げようとする姿勢に繋がったと思う。

しかし、それはいつまでも続かなかった。彼らの大多数は代替わりと共に住処を歌舞伎町からよそに移し、ビルオーナー業に専念する人たちが増え、自ら事業を営む人はどんどん減っていった。

歌舞伎町商店街振興組合の特徴は、自らもビルを2棟持っていることだ。固定の収入と財産があるのだ。それによって振興組合の組合員は、親子間で相続されていくことになる。自然と街への思い入れがある人が振興組合から減っていくことになった。

現在は文野の父親が組合の副理事長だ。理事長も、文野の家系と同じような家系でビルオーナーだ。

つまり、歌舞伎町商店街振興組合は、歌舞伎町的名門のビルオーナーたちを中心とした集まりということなのだ。

それが良いとか悪いとかではなく、そういう組織として歌舞伎町について考え活動しているのだ。いい意味で経済的余裕が独特の空気感を生み、俯瞰的で長期的な視野を持って歌舞伎町という街に対する活動ができている。

そこには私が今まで見てきた歌舞伎町とは違う歌舞伎町があった。歴史を大事にし、今起きていることに一喜一憂せず、冷静に歌舞伎町を見守る存在だった。

そんな組合だが、この時期の荒れた歌舞伎町には頭を悩ませていた。組合が最も大きな問題としていたのが、ホストクラブのキャッチだった。

振興組合を悩ませるホストクラブの存在

私が文野に連れられて初めて振興組合の会議に参加した2005年頃、ホストは悪魔のような扱いだった。それは私にも向けられた。法令遵守の店とそうじゃない店があるのはどんな業界でも一緒のはずだ。ホストクラブは十把一絡げで悪の象徴だった。

頭を悩ませていたのは振興組合だけではなく、警察も同様だった。時を同じくして暴力団排除を主たる目的として、警察主導でホスト界のドン愛田武を中心にほとんどのホストクラブが加盟する歌舞伎町ホストクラブ協力会なるものが２００６年に設立された。

協力会に加盟している店舗はキャッチを行わなかった。しかし新興勢力たちは何でもありのイケイケ。彼らが勢力を伸ばすのを尻目に、去勢された老舗がどんどん潰れ、協力会からも脱退していった。最初１００軒以上あった加盟店が10軒ほどにまで縮小した。

無法地帯化はどんどん進んでいった。振興組合は定期的なパトロールを行っていた。私も参加したことが数回あるが、続けることはできなかった。組合員たちは目の前でキャッチしているホストたちに直接注意しないのだ。

私からすれば、彼らのせいで、ホスト全体が悪者になり、さらに彼らの店は売上が上がっている。許すまじき存在だった。積極的に注意をしたが、普段の組合員のパトロールの対応に慣れている彼らは、聞く耳を持たないどころか舐めた態度を私に取ってきた。

しかし私は組合の人間として注意している。ホストの先輩ではない。ことを荒立ててはいけないと我慢したが、彼らが開き直って目の前でキャッチを続ける態度に我慢が限界に達した。

パトロール時間が終わり、組合事務所でパトロールの際に着る緑のビブスを脱ぎ捨てて、私はただのホストとして彼らのもとに舞い戻った。ぶっ飛ばしてやろうと思ったのだ。しかし彼らはもういなかった。今思えばいなくて良かった。問題を起こさないで良かった。

しかし、同業者が違法だろうが金を稼ごうとしている横で、一円も金を生み出さない行動をしている我々は、商売で勝てる訳がない。彼らには彼らの正義があるのだ。組合は組合で、やれる範囲のことを行うだけなのだ。中途半端なスタンスは私だけだった。

このあたりの温度差がわかるまでに随分時間が掛かった。なんでもっと積極的に街を良くしようとしないのか？　なんで強権的に問題を排除しないのか？

「共生はしないが共存はする」

ここにすべてが詰まっている。歌舞伎町はグレーな街だ。振興組合は自治体でも、警察でもない、このグレーな街を担保する緩衝材なのだ。街を長い目で眺めつつ、彼らのリズムでやれることをやるだけなのだ。

鈴木喜兵衛の熱すぎる街への思いを汲みつつ、自身の利益を求める街の人間たちを長年取りまとめたと言われているのが、１９５６年の協同組合歌舞伎町振興会（振興組合の前身）の初代組合長に就いた藤森作次郎という人だ。

作次郎は戦後、芙蓉館という進駐軍兵士の慰安施設を運営していた。進駐軍と強いパイプがあったということは、当時とてつもない権力を持っていたと想像できる。

その彼が約10年後には行政との距離が近い組合長になるということは、表にも裏にも、そして進駐軍にも顔が利き、取りまとめられる人間が歌舞伎町には必要だった、ということではないだろうか。

先日作次郎の親戚筋に当たる方に当時の話を聞いてみた。「とにかく羽振りが良かった。正月藤森さんの家に集まると机の上には一万円札が積まれていた。それをお年玉として配っていた。たくさんの偉い方々が挨拶に来ていた。都知事なんかも来ていた」

30年近く理事長を務め、金と権力を兼ね備えた作次郎の顔があったからこそ、均衡が保たれた歌舞伎町の清濁併せ呑む在り方が作られていったのではないか。

綺麗事だけでは人は集まらない、己の利益だけ追求することを許せば秩序がなくなる。そのバランスを取る存在が振興組合なのだろう。

藤森作次郎は現在の混沌とした歌舞伎町の礎を現実的に作った代表的な功労者と言えよう。

その後振興組合は、徐々に世の中の流れと同様、暴力団排除、健全安全路線を辿ることになり、先に述べたように私が振興組合と関わりを持ち始めた頃には、裏社会とは完全な断絶があった。ホストクラブでさえあのような扱いなので、性風俗業、やくざとはもっと距離が遠い存在になっていた。

私は２０１７年に振興組合の常任理事を拝命した。あれから約10年。信頼関係を築くのに時間が掛かった。

空前のホストブームが到来した２０１８年

歌舞伎町の外に出て受けたホストへの偏見

２０１８年頃から空前のホストクラブブームが巻き起こった。

私はホストを始めた19歳から、家族や友達との縁を切って、同僚とお客様と関わるだけの狭い世界で生きていた。当時の水商売の世界はあまりにも社会の外側にあって、そこでの常識と社会の常識はかけ離れていた。この世界のルールに順応することに抗いながら、いつの間にか染まって、染める側に自分がなっていた。

元々、大学を卒業する年までホストをやって社会に戻ろうと思っていた私は、24歳のときにそうしようとした。戻れなかった。戻り方がわからなかった。否応なく独立することになった。私を変えてくれたのは集まった悪ガキスタッフたちだった。彼らに私と同じ思いをさせたくない、選択肢のない人生を送って欲しくない。と思い、自ら歌舞伎町の外の世界に足を踏み入れた。社会を知ろうとした。

屈辱的なことばかりだった。ホストへの偏見は当然覚悟していた。しかし、それ以上に悔しかったのは自分の無知さ加減だった。あまりにも浮世離れした世界に慣れ過ぎていた。あらゆる価値観がズレていた。そして生半可に売れっ子ホストと持ち上げられたために、若者としての礼儀もマナーも完全に欠如していた。

そんな中、受け入れて仲良くしてくれる友達ができた。その人たちのおかげで今があると言っても過言ではない。しかしそれを差し引いても、屈辱的なことばかりだった。

ホストという職業への偏見はものすごかった。初対面の人には必ず警戒される。女性に至ってはあからさまな嫌悪感を示される。

「ちょっとホストやってみて」「貢物ですごかったものは？」

毎回同じような質問をされ、面白おかしく道化を演じて空気を乱さないようにすることは、笑っていても心は無だった。私を受け入れてくれた友達は積極的にいろんなところへ連れて行ってくれた。いろんな人に会わせてくれた。あのときの友達や仲間がいなければ社会の中で模索する時間に耐えられなかったかもしれない。

同世代のホストたちで、外の世界に飛び出していった人間もいた。みな過去を捨てて生きていた。元ホストですらもスティグマになるほどホストへの偏見はすごかった。

あの経験を、私の店のホストたちにさせたくはない。それを乗り越える術を身に付けておいて欲しい、と思った。だからホストだけの閉じた世界ではなく、開けた世界を見せるようにした。歌舞伎町の仲間と付き合うことを禁止にする時期すらあった。そうやって彼らに社会性を身に付けさせることが、私の人生の使命だった。同様に私自身も、歌舞伎町で働きながら社会に適合して生きていくということが生きる目標だった。彼らに押し付けた。今はわからなくても後で絶対に私が言ったことに感謝するときが来るだろうと思い込んでいた。外から見たら、あそこは宗教的だ。と揶揄されていることも知っていた。

だから、歌舞伎町の勢力図にも、歌舞伎町の流行にもまったく興味がなかった。歌舞伎町の流行は社会から数歩遅れてやってくる。だから普通に社会で流行りそうなものに手を出すだけで、うちはやることなすこと「早い」と言われてビジネス的な大きな成功を収めることはなかった。ただ特別なポジションは確保して長年やってこれた。

空前のホストブームの最中でも、変わらず私は歌舞伎町の外のことばかり考えていた。歌舞伎町の外の人間としかつるまない。会社で行うことも歌舞伎町の外での常識であって、中での常識ではないことばかりだった。

しかし、実際、私の店のホストたちが接するのは、歌舞伎町の中の人たちだ。ホストブームによってどんどん大きくなるホストクラブ市場。変わらない私の方針、成長軌道。私の店は歌舞伎町の中での存在感がどんどん薄くなっていった。私が歌舞伎町の外の世界で覚えた疎外感を、うちで働く人間は歌舞伎町の中で日々覚えるようになっていた。

いつの間にか歌舞伎町の浦島太郎になっていた

方針を変えるとしても、まずは私がホストマーケットをちゃんと見なければいけない。

ひょっとしたら初めてホスト業界とちゃんと向き合ってみようと思ったかもしれない。同業他社のＨＰを覗いたり、知り合いの同業経営者に話を聞いてみたり、ちょうど歌舞伎町の路面店の本屋バーをやっていたので、通りかかるホストに声を掛けて一緒に飲んだり、他店に飲みに行ってみたりした。

そこにあったのは、私が知っていたホスト界とは全然違うものだった。私は歌舞伎町の浦島太郎だった。私の店だけが歌舞伎町の中の唯一のホワイト企業だと思っていた。

そんなことはなかった。大手グループはどこもすでに企業然としていた。ビジネスというものを私よりもずっと理解しているように思った。ホストたちも昔のようなやんちゃな人間ばかりではなく、有名大学に在学中のホストもいれば、ユーチューバーとして名を馳せている人間もいた。私が思っているよりホストの世界は開かれていた。

どの世界でも言えることだと思うが、ＳＮＳの影響が大きいことは確かだった。隠れてこそこそ悪さができない時代になった。そうやって時代に順応する素養を持った世代がホスト界で活躍していた。その上でさらに、ツイッターを中心に独特の世界観をホスト界は展開していた。

私も、ＳＮＳに関してはどこよりも早く指導をし、取り入れさせてきた。10年以上前のブログから始まり、常に私自身が活用し、みなにも推奨していた。ただし、その頃の歌舞伎町界隈ではＳＮＳはそこまで重要視されていないという認識だった。それでも動画の生配信を数年前にスタジオを作ってホストにやらせたり、新しいＳＮＳが台頭するたびに順応させていた。しかしいつも実益には繋がらなかった。

ツイッターはホストと
ホスト狂女性たちの劇場

ホストラブ掲示板の進化

さまざまなＳＮＳが台頭し、世間ではツイッターのブームに陰りが見えていた。私もほとんどアプリを開かなくなっていた。半信半疑でツイッターを久しぶりに開き、いろんな他店のホストたちをリスト化して動向を見つめた。驚いた。一つの文化圏ができていた。２０１７年から２０１８年のことだ。20年近く前から「ホストラブ」というホストクラブ版2ちゃんねるが存在していた。私の現役時代からあり、そこにはあることないこと匿名でバンバン書かれる。私は現役時代、他のホストクラブの人間よりも真剣にホストという仕事に向き合っていた。しかし先に述べたように歌舞伎町のマーケットを意識していなかったことなどがあって、ホストラブに仕事が左右されることはなかった。

本当か嘘かわからない情報は、リアルな接客の話のネタ程度にしかならず、それをうまく活用したこともマイナスになったこともほとんど記憶にない。しかし周りのホストがその情報に振り回されている姿はよく見た。

匿名性が高いツイッターでは、そのホストラブの要素を土壌に、ホストたちがあえて実名で参戦するというのが、劇場型エンタメになっていた。例えば匿名アカウントでホストの実名を出して批判のコメントなどが書かれると、そのホストが実名で反論したり、さらに過激だったのは、お客様が実際にデートした写真をあげたり、ラインでのやり取りをスクリーンショットであげたりすることに対応するのだ。

しかも驚くことに、それはホストたちにとってマイナスよりもプラスに働くことの方が多いのだ。世の中が、炎上商法というものを一つのマーケティング手法として認める風潮の後押しもあっただろう。まさに品性の欠片もない炎上商法が横行していた。

私も自店のホストがそんな状態になったら目も当てられないが、他店のホストだと下世話な心をくすぐられ動向を追ってしまう。匿名のお客様と思わしきアカウントたちは自らを「ホス狂」と呼び、お店で高額を使ったことを堂々と投稿したりしながら、ホストクラブでお金を使うという行為を自己分析していた。そこには、ホスト自らが語れないリアルな体感を言葉で表す知的な人たちがたくさんいて、その方々がホストのツイッターでの振る舞いを批評し、価値づけしていたのだ。あるホストを待ち受け画面に設定すると収入アップに繋がるなんていうブームも起きていた。

ホストたちの炎上商法

２０１９年は、ユーチューバーなどを含めると、炎上商法がある一定の市民権を得たこともあり、ホスト界でもその価値をますます上げていった。その現象をどう評価するかは個人の判断だが、事実そういうマーケットが存在し、リアルなホストクラブの売上にも連動している一面があった。

私にとっては目も向けたくない世界だった。しかし、それがホスト業界の現実だった。私はどこを見て、何を教育してきたのだろうか、と見当はずれな自分を呪った。

折り合いを付けるのが難しかった。ＳＮＳコンサルを雇い、目を背けられないマーケットに目を向けながら自分たちのＳＮＳの活用方法を探った。ホストたちの炎上商法は度を越していった。お客様のことを見下すような発言、お金を粗末に扱う動画、何でもありの状態になっていた。少し前インスタグラムが主流だったときは、世間と同じような「映え」が重要な要素で、一部のイケメンたちだけがインスタをうまく活用できたが、それ以外のその他大勢はツイッターを主戦場に切り替えた。ツイッターがホスト界のメインＳＮＳになった。

炎上商法とホスト界がこんなにハマるとは思っていなかった。インスタ主流の頃から高級品や現金などリア充をアピールする流行はあったが、ツイッターでは現金や高額の伝票などが人気を得ていた。「映え」ではなく、よりリアルが求められていた。さらに世の中の情報商材を売る商法と同じようなことがホスト界でも起きていた。つまり見せかけの売上を作って大げさに宣伝する手法だ。これはホスト業界に昔からある悪しき風習を増長させることになった。売掛制度である。

売掛で過激化する
ホストたちのステータス争い

売掛の功罪

売掛とはツケだ。ツケで飲む文化が昔からホストクラブにはある。お客様が払えないときは、ホストが立て替えなければならない。

私自身も現役ホスト時代に、売掛をお客様に飛ばされて苦しい思いをしたことが何度もあった。逆に売掛制度があったおかげで売上を上げられることもあった。しかしお客様に過度の売掛をさせてしまったりして関係性が悪化したり、トータルで考えるとマイナスになることの方が多かった。

独立してからは自分の店では、極力売掛をさせない風潮にしていた。それでも売掛で苦労するホストがたびたび現れた。未熟な経営者であり店であり、売掛なしで成り立つレベルではなかった。売掛を推奨はしないが、私自身が無言で圧力をかけていたという部分も強かったと思う。数年経ってようやく売掛をさせない営業に少しずつ慣れていった。それは歌舞伎町ではとても誇れることだった。

歌舞伎町の多くのホストクラブにおいて、ホストがお店に借金をしている。給料日に先月の給料を丸々貰えるホストは半分いれば多い方だろう。しかしうちはほとんどのホストが店への売掛がない状態になった。

しかし、グループが大きくなるにつれて売掛の制限を緩くして欲しい、という声が増えていった。そして売掛制限の厳しさが売上が上がらない大きな原因だという声が主流になっていった。売掛は自分たちの首を絞めることになる。一か八かのギャンブルで借金まみれになるホストが必ず現れる。お客様が売掛を払わなければホストが立て替えなければいけない。そんなことは承知でみな売掛を望んだ。

店からすると、お金を払ってくれるのがホストか、お客様かの違いであって損をすることはない。つまり「ホストクラブにとってお客様はホストである」という考え方が、昔から変わらないこの業界の常識なのだ。ホストのランキング争いを煽って、売上上位者を英雄視することで、自腹を切ってでもナンバー上位になりたいとホストたちに思わせることがホストクラブというビジネスモデルなのだ。

私自身もそのモデルの中で踊らされた1人だ。たまたまお金を残せる5％未満の人間になれただけだった。でもその争いの中で蹴落とされたたくさんの人たちを見てきた。蹴落とした人間をたくさん見てきた。借金を背負って姿をくらました人をたくさん見てきた。私の店に集まってくれた子たちの95％をそういうホストにしたくなかった。

だからうちは、ホストはお客様ではなく従業員だ。ということを徹底して教育してきた。サービスを向上させる研修もたくさんしてきた。他社がマルチビジネスの研修のような、モチベーションを上げて競わせるようなことばかりしているのをバカにしつつ、自分たちはワインの勉強をしてきた。そうやって、ある意味他社を見下していたのだ。でも他社はどんどん大きくなっていっている。

見せかけの売上争い

他社の話を聞いて驚いた。売掛は50％入金すればいいというような話が横行していた。見せかけの売上を自腹で上げて、１０００万プレーヤーという称号を手にすることがホストのステータスになっていた。ＳＮＳ上で金があるとアピールをする、情報商材を扱う人間たちと同じような風潮だった。ホストクラブは「飲み屋」であると私は思っていた。銀座のクラブのように働くこと、そして存在に価値がある飲み屋になることが目標だと思っていた。

しかし、業界全体が目指すベクトルはまったく違う方向を向いていた。ユーチューバーも炎上商法の有名人たちも知らない私には、正解がわからなかった。ただフォロワーが多いことが価値なのか？　と思ったらそうでもない。他にも独特の評価軸があるようだった。私にはわからなかった。少なくともそれによってサービスの価値、飲み屋としての価値がどんどん下がることはわかった。

他社はホストの売上のバック率をどんどん上げる。その分酒代を下げる。ホストのギャンブル性はどんどん高まっていく。売れるホストと売れないホストに二極化されていった。うちの店が目指している方向とはまったく違う方向にホスト界が向いていった。違う業種として商売をするしか道はなかった。だけど、それを求める仲間はいなかった。

私には率先して新しい分野を切り開くエネルギーも自らが体現できる環境もなかったし、現実的にそんなマーケットはなかった。銀座のクラブのような場所を求める女性たちを集めて商売が成り立つとは私自身にも思えなかった。所詮自分たちは理想郷を目指していると言いながら、歌舞伎町ルールで飯を食ってきたことが露呈した。私はホストクラブの経営からどんどん離れていった。役職も会長として、変化していく自分たちのグループ、そして薄れていく文化を眺めていた。しかし数字は上がっていった。ホストバブルに乗ったとまではいかないが、単月の売上新記録を更新する月が増えた。10年前の2倍くらいの売上になっていた。時代に流された。いや時代に流されるのが商売なのだろう。

２０１９年は過去最高の売上を大きく更新して、歌舞伎町で最も家賃が高いビルに80坪の物件を新規に契約した。２０２０年5月のオープンに向けて1億円の投資をして準備していた。そして、コロナ禍がやってきた。

夜の街で働くということ

歌舞伎町は辿り着く街

過去最高のホストバブルの最中にコロナ禍はやってきた。

そんな中でも歌舞伎町もホストクラブも逞しかった。私はまた驚かされた。楽しんでいる訳ではもちろんないが、とにかく前向きに逞しく生きていた。

カミュの小説『ペスト』にコタールという登場人物がいる。密売を生業にしている彼はいつか捕まって死ぬかもしれないという恐怖と隣り合わせで生きていた。ペストに怯える人々は、彼から見れば普段の自分と同じ状況に陥ったように見えた。そして彼にとってはいつ死ぬかわからないペスト禍は普段と変わらない日常であって、怯える人々をほくそ笑んで眺めていた。

　こんな話も聞いたことがある、戦争に行っても精神を壊さない人が数％いる。そういう人は普段から喧嘩や暴力に明け暮れている人だそうだ。

　社会には一定数そういう人たちがいる。そういう人たちが生きられる場所は必要ないのだろうか。

　歌舞伎町はやってくる街ではない。辿り着いてしまう街だ。いたい街ではない、いついてしまう街だ。長くいるつもりで最初から来る人なんてほとんどいない。通り過ぎるつもりでこの街にやってくる。向かっていく街ではない、逃げ込んでくる街だ。何回だって逃げ込んでこられる。

「夜を上がる」という言葉がある。歌舞伎町卒業なんて言葉で送り出されたりする。

　しかし平気で復活もする。しれっと歌舞伎町に舞い戻ってくる。誰もそれを咎めない。

大きな夢を語って歌舞伎町を卒業する人ほど、夢破れて歌舞伎町に帰ってくる。誰もそれを笑わない。何事もなかったかのように、ただの歌舞伎町の一部になっている。

誰でも受け入れるし、去っても止めない。

彷徨っている人のとまり木なのか。

彷徨う人が集まって、日々彷徨っている。

私も彷徨っている。

昨日も何時までどこで飲んだか覚えていない。今は14時、何度も頭が痛くて目が覚めた。口がカラカラで朦朧とする。水道水を手ですくって唇を濡らすように吐いてしまわない程度に胃に入れる。もう一度布団に入りお腹の気持ち悪さを抑え込むような体勢を探す。漏れる声はかすれている。一瞬昨日の記憶がよみがえるが消す。思い出したくない。もう少し眠りたい。16時、溜まったラインを開いて頭が働きだす。布団の中で焦点の合わない片眼を閉じてとりあえずの返信をしているうちに今日が始まる。

もう二度と飲まない。

と何度、何百回と思ったことをまた思った。と思う。

気持ちが悪い。


このまま無理矢理日常を始めれば、昨日の記憶はどこか遠くに閉じ込められる。水分を異常に摂取しながら、透明なおしっこを繰り返して、退屈な会議を繰り返す。そうやって酔った醜態は他人の中だけに残る。

今日はついてない。予定がない。否応なしに昨日の記憶と向き合ってしまう。随分偉そうに街について語っている私がいる。恥ずかしい。

誰かに迷惑かけたかな、嫌な思いをさせてないかな、あんまりハッキリ思い出したくないから探り探り表層的に記憶を辿る。とりあえず他人に害は与えていないようだ。被害も特にない。大きな波はなかったようだ。

知り合いの知り合いに会ったな、お店を新しくオープンする予定でそこで働くスタッフになってもらおうと一生懸命口説いているのに協力したな。良い人ぶって先輩ぶって熱く語って、会計も見ないで全員分払って領収書も貰わずに先に帰ったんだ。で、タクシーの中で後悔したんだ。

何か胃に入れようと水をがぶ飲みして、いつから冷蔵庫にあるかわからないプリンを食べる。顔がかぁーっとする。また酔いが回ってきたようだ。胃の表面から体内をえぐるような鈍痛が後悔を煽る。

ＳＮＳをだらだらと流し見するくだらない時間を過ごす。陽が暮れてきた。

「お互い様」を生きる

昨日は歌舞伎町で19時に５人で飲み始めた。会は22時にお開きになり、みな帰る。私はその店に残り、テーブル席からカウンター席に移動し他のお客様と飲み続けた。隣で飲んでいる女性は終電を気にしていた。いいじゃんいいじゃんと無責任に終電を忘れるように煽る。意味はない。別のお客様と話していると、彼女はまだそこにいた。朝までどうするの？　と聞くと、適当と言っていた。悪いことをした。友達が仕事の話をしたいと言ってやってきた。堅苦しい資料を見せられた。ほとんど覚えていないが何となくダメ出ししたような気がする。

24時を回る頃に適当な小さなキャバクラへ。2000円のドリンクをせがむキャバ嬢に1000円のドリンクを2杯振る舞う。ウーバーイーツの配達員のようなお兄さんが店の入り口に立っていたが、キャッチのお兄さんだと聞き、あれなら警戒心なく声を掛けられてしまうな〜と思ったが、キャッチを使っているこの店はプチぼったくり店か。飛んで火に入る夏の虫。私は普通に飲みに来ている。随分酔って店を出て、隣の店の扉を開く。深夜にやっているガールズバーというかスナックというか、女の子は隣には座らないで正面に座る。隣の客に話しかけられる。恐らく怖い系の方々だが、礼儀正しい。こちらもビビっていないふりをしながら怒らせないように怒らせないように、ため口風敬語でプライドを保つ。へいこらしたら女の子に嫌われるし、偉そうにしても嫌われる。特別好かれたい訳でもないけれど嫌われたくはない。

自分を自分として如何に自覚して生きているか？　が品格だと高校の先生に教わった。品格を保つ綱渡り。楽しくなったふりをして、いや、そんなシチュエーションが本当に楽しくなってきたのか、酔いがかなり回ってきたのか、大物ぶって機嫌よくシャンパンを入れて、周りに振る舞う。安いプラスチックのぬるっとしたフルートグラスにぬるいシャンパンが注がれて一気に喉で飲む。

通りに出て馴染みのバーへ移動する。バーボンのロックをちびちびとやるが呂律も回らない。タバコの吸い過ぎで頭もくらくらする。帰ろうとフラフラ靖国通りに向かうが外の空気を吸って元気になった気がしてもう一杯。ここで件《くだん》の説教を初対面の方々にしたようだ。

確認する気もない。またいつかどこかで会うだろう。

私は回遊魚だ。彷徨っているだけだ。何もない。何も生産性はない。ハローグッバイを誰だかわからない人と、誰だかわかっていない私がしただけ。残ったのは圧倒的な気怠さと吐き気と、溜まる仕事。

人生で悩んでいないことなんてない。まっすぐになんて生きられない。いつだって彷徨っている。でも、社会で生きるには、それじゃダメなんだ。私だって従業員たちに言う。芯を持て、筋を大事にしろ、ミッションを守れ。効率だ、費用対効果だ。

映画「ファイト・クラブ」では殴り合って、生きている実感を得る。そんな現実離れしたことは私にはできない。でもこの圧倒的な気怠さと後悔は、確かに私が生きている実感を与えてくれる。無意味だけど、無価値ではない。

何にも考えずに無責任に彷徨いたい。

誰でも受け入れるけど、誰に対しても無関心を装ってくれる歌舞伎町は、誰もが何者にもならずに彷徨える街だ。

私たちは自らも彷徨い、そして彷徨っている人を受け入れて、お互い様で生きているのだ。

第二部

歌舞伎町は許してくれる街

ホストはタキシードで寝ていると思わせる仕事

日常を見せない。戸惑いを見せない

金の太いネックレス、ロレックス、ベンツ。持ちものは、わかりやすく高額であるべきで、それがホストとしての礼儀だと教わった。

生活感を見せてはいけない、庶民的なことは言うな、お客様には「タキシードで寝ている」と言えと教わった。キャッチをしている売れないホスト時代だって、コンビニにいる姿を誰かに見られてはいけない、喉が渇いたら喫茶店で５００円のコーヒーをなけなしの金で飲んで喉を潤した。武士は食わねど高楊枝を体現することが仕事だと思っていた。本当の自分との乖離に戸惑いながらも、そういうものだと思っていた。戸惑いを如何に見せないか、それが仕事ができる人間なんだと思っていた。

ナンバーワンを取ってしばらく経った頃、４００万円の売掛のあるお客様に飛ばれた。貯金は一切なかった。だから立て替えて被害額を減らすこともできなかった。ナンバーワンといえども、なりたての頃は虚勢を張ることにお金がかかる。ナンバーワンとしての要素を整えなければならないのだ。

何かの枠にハマりたくないから歌舞伎町に来たはずなのに、また枠に自分をハメようとする。矛盾していることにも気づかなかった。ナンバーワンとしての必需品を揃えるのに必死だった。スーツを何着も揃えて、時計を買って、車を買って、後輩たちに奢りまくって……貯金なんてする余裕はなかった。

ランキングを発表する翌月のナンバーミーティング。私が売掛を飛ばれたことはみな知っている。でも自分で立て替える能力があれば、ランキングは維持できる。だからみなはお客様に飛ばれたとしても私がまだナンバーワンを維持するものだと思っていた。４００万円を立て替えられないナンバーワンはいないと思っていた。

しかし私は立て替えられなかった。かつかつのナンバーワンだった。ナンバー７で私の名前が呼ばれた。ランキングはそこまで下がっていた。悔しくて恥ずかしかったが、私は逃げずに受け入れた。逃げる方がカッコ悪いと思った。最低限のメンツだと思った。本当は借金ができて、逃げることさえもできなかっただけだ。

お店に借金ができた。働いて売上を上げて給料で返すしかない。少しだけまとめて前借をさせてもらった。借金を返すまでの生活費だ。私は毎日店に出た。そして稼ぐために虚勢を張り続けた。帰るときは店を出て後輩に送られてタクシーに乗って、駅で降りて電車で帰った。そそくさと歩いて駅に入るところなんて後輩にも街の住人にも見せられない。毎日ビクビクしていた。当時ホストクラブは深夜帯に営業していた。だから帰りは朝の8時頃。大量のサラリーマンの波に1人で逆流して歩く。誰かに見つからないように下を向いて下を向いて。ガラガラの下りの電車に辿り着いて、誰も歌舞伎町の住人らしい人がいないことに安堵した。

家賃25万円の高層マンションの広い1LDKに引っ越したばかりだった。家具を買う前に一文無しになった。ガランとした部屋に布団だけがあった。寒かった。音がよく響いた。手を叩いて反響で遊んだ。新築の床は綺麗だった。カーテンもない。朝の光の中で床の埃がキラキラしていた。この部屋はまさに私だった。何にもない空っぽの広い部屋。

翌月、私はまたナンバーワンに返り咲いた。でも給料はない。また虚勢をギリギリ張れるだけの前借をさせて貰い、空っぽの生活を続けた。

周りの売れっ子のように、わかりやすい高額のブランド品に身を包むことはできない。ナンバーワンらしさを演出できない。だからファッション誌を読み漁って理論武装した。低コストで流行の先取りを気取った。ブランド品に似た形の安い服を選んだり、デザイナーズの個性のある服を選んだりして、高額品で身を固められない言い訳に見えないように装った。

3カ月連続でナンバーワンになって借金を返した。4カ月目に久々に現金の給料を貰った。からからに渇いた喉に水が染み込むような心地だった。まだ物に満たされた訳ではないのに、札束を見た訳でもないのに、給料袋を手にしたときの潤い感を今も忘れない。

そのときの経験が私の基盤を作ったように今になって思う。そして実際にそこから私はホストとして一度も落ちることはなく、着実に成長していった。そう、ホストらしくない「着実」な成長をしていったのだ。

今の時代のホストたちの間でも、流行の主流は昔と変わらずわかりやすいブランド品だ。何のブランドなのかが明確にわかるものだ。時計でも車でも何でもそう。ブランドとその値段が大事なのだ。その値段が自分の価値なのではない。価値は自分だってことはホストたちも重々承知している。でもそういうものなのだ。わかりやすいブランド物を身に着けるという作法なのだ。20年前と変わらない。そして、そういうわかりやすい物は、長くは使えない。

一時期、歌舞伎町では背中が横断歩道模様の人だらけのときがあったり、最近だと背中に大きな文字でBALENCIAGAと入っているダボっとしたシャツを着ている人間ばかりが歩いていた。今はもう見かけない。

それは、フランス革命を皮切りに19世紀のヨーロッパにおいてブルジョアが誕生したときの彼らの気持ちに近いのではないかと思う。ブルジョアとは特権階級の貴族ではなく、要は成り上がりだ。彼らは貴族に対抗すべく虚勢を張った。しかし身分や財産を守られない彼らは刹那的な「もの」に依存するしかなかった。と通説的には言われている。

しかし、わかりやすいブランド物を身に着けるホストたちの姿を見続けてきた私は、ブルジョアの多くは貴族に憧れて貴族の気品を得よう、貴族に近づこうと思った訳ではないのではないかと思うようになった。

ホストたちは決して、上品なインテリセレブというか高尚な上級貴族のような世界に憧れている訳ではない。彼らは彼らなりの成り上がりの頂上を見ているのだ。別次元の話なのだ。だからどちらが上でどちらが下ということではないのだ。

10年後も着られる革ジャンやジーンズのお得さとも、ジョブズのように同じ服を着ることで無駄な時間を省く合理性とも真逆の価値観がホスト界にはあるのだ。来年は着ることができない服を季節ごとに買うという勿体なさこそが美学なのだ。それができる、稼ぎ続けているホストであることを表明することが大事なのだ。

それは、ホストたちも気づいているけど気づかないふりをしている、ホストクラブでお客様が大金を使うことの虚無感の投影なのかもしれない。

ホストクラブの泥棒たちと一つの決断

泥棒がわかるようになった

ホストクラブは、どんな前歴があろうとも基本的には受け入れる。だから最初から犯罪目的で入ってくる人間もいる。手癖が悪い人間をたくさん見てきた。

面接に来て、体験入店する子は、営業終了まではお店にいさせないで先に帰す。10年ほど前のある営業終了後、1人のホストが「財布がない」と言い出した。他のホストもチェックしたら数人の財布がなくなっていた。その日に1人体験入店の子がいた。やられたと思った。履歴書はある。身分証明書のコピーも取ってある。しかし身分証明書も偽造で、履歴書も真っ赤な嘘の可能性が高い。可能性は低いが履歴書の住所が歌舞伎町から近かったので、すぐに行ってみることにした。オートロックのない大きなアパートだった。

その一室のチャイムを鳴らす。寝ぼけ眼で寝間着に着替えた彼が玄関に出てきた。どうしたんですか？　と何食わぬ顔をしている。ちょっと入っていいかな？　と半ば無理矢理部屋に入った。財布盗った？　と聞いてみた。盗ってないですよ、何なんですか〜。とスウェット姿の彼は頭を掻いていた。余裕な態度だ。どうやらその部屋には他にも住んでいる人がいるらしい。私は彼を座らせ、正面で向き合って、表情を確認しながら目を見て話す。疑ってごめんな。でも先に帰ったのは君だけなんだよ。だから一応確認で来たんだよ、と。

はぁ……と、心外な顔で私を見つめていた。もし彼が犯人だとしても、財布はとっくに捨てているだろうし、証拠を掴むことは難しいと思い、私は下手に出ながら、どうにかうまくボロを出させて自供させるしかないと思っていた。一応、財布見せてもらっていいかな？　と言ったら、素直に見せてくれた。中身はたいして入っていなかった。同居人たちもいる手前、長居はできない。

本当にこの子じゃないのかもしれない。と思った矢先、同行していた仲間が「ありました」と言って、バッグを逆さにした。ボロボロボロッとブランド物の財布たちが床に落ちた。スローモーションのように見えた。ルイ・ヴィトンを中心としたブランド物の財布が床に散らばった。

泥棒はたくさんいた。

防犯カメラを設置してからは検挙率は上がった。慣れた手つきで一瞬のスキをついてスタッフルームに置いてあるバッグから財布を取りだして1万円だけ抜いていた都内の有名私大の学生、盗んだお金を女子トイレのゴミ箱の下に隠していた四国の国立大の学生、そういう子は家宅捜索すると、それ以外に物品を盗んでいる常習犯が多かった。

ある日バーで飲んでいたら、１人の子の財布がなくなったと内勤のスタッフが報告にやってきた。そのバーのカウンターでは財布がなくなったお店のホストも飲んでいたので３人で一緒に状況について振り返った。そのホストは丁寧にその日の状況を説明してくれて、盗れるとしたら誰と誰くらいしか現実的に難しいですね〜、と理路整然と語ってくれた。防犯カメラの確認ができたと店から電話が入った。隣で飲んでいたホストが犯人だった。

あるときから私は、泥棒を見つけるのがうまくなってしまっていたので、このホストが話に食らいついてきて「誰が盗った」と言った時点で、この子が犯人だろうな〜と思って話を聞いていた。でも本人は本当に財布を盗ったことを忘れているようだった。

それは総じていろんな泥棒に共通していることだった。加害者意識がないか、盗ったことすら忘れているような人が多かった。自分のものと他人のものの区別がつかない人がいるという話は聞いたことがあった。みんながみんなそういう人だった訳ではないと思うが、「魔が差した」という犯罪は少なかったように思う。

一つ忘れられない大きな事件があった。店長を任せていた人間がお店の金を横領していたのだ。ホストクラブのお金は横領しづらい。なぜならホスト個人の売上がランキングで日々発表されるので、内勤が横領したとしてもホストの売上との数字が合わなくなるために、経理、ホストと両者からチェックされるからだ。しかし、その店長は指名がまだないお客様、つまりダブルチェックされない売上の一部を横領していたのだ。ギャンブルにハマってしまい、借金で首が回らなくなったということだった。

グループ全体への貢献度も高く、会社の実質ナンバー5に入るような人間だった。結婚もして子供もできてみんなで結婚式も盛り上げて、妻も子供も仲良しだった。10人くらいのグループ幹部と本人で集まった。

「○○ちゃん（子供の名前）の顔が浮かんできて、もう情けないよ、本当お前はよー……」と気の強い仲間が誰に言うでもなく泣いていた。本人を怒るとか、責めるというよりも、みな自分事のように悔しくて悲しくて泣いていた。すすり泣きの沈黙が続いた。

当然クビだ。当然だ。でも……許してあげたい、という思いがごちゃまぜになってい
た。私こそが強くクビだと断言するべきだったが、私も悔しくて情けなくて茫然として
いた。
そんな中、普段仕事がまったくできない、どちらかというと軽薄で、全体の足を引っ張る、立ち回りだけがうまい古株が、「許しましょうよ」とハッキリ言い放った。誰もが言いたいけど言ってはいけない言葉だとわかっていた。クビになるべきだし許せる訳がないということはわかっていた。グループの運営陣でルールを重んじる立場の人間たちの集まりだ。心では許したい、でもそんな無責任なことは言えない。
さらに追い打ちをかけるように、そいつとは真逆の一番ルールに厳しい、財務の人間が「これは、そういう隙を作ってしまった私のミスでもあるし、仕組みのミスだ。そして我々はそんな完璧ですか？　決まりをすべてみんな守っていますか？　残しましょう」と言ったのだ。
彼はグループに残ることにその場ではなったのだが、結局ギャンブルが止められず家庭からも新宿からもいなくなってしまった。

「許しましょうよ」と言った男は、10年くらいいて、私から見ると本当に足を引っ張ることばかりをしていたように思うが、あの一言を言えたこと、そういうことが彼の価値だったのかなと思う。あの空気を読めない、いや空気を読み過ぎた発言は一生忘れられない彼の「仕事」だったと思う。

どう考えたって、即座にクビだ。でもそいつの人生を悩んで悩んで自分事のようにみんなが悔しがって、許す決断をしたことは、再現性はもちろんないし、蓄積されたノウハウにもなっていないが、とても重要な私たちのグループの「文化を作る時間」になったと思う。

次にそんなことがあっても許さないだろうが、この会議をして、そして許したことが、私たちにとっては忘れられない前に進むための大きな仕事だったと今でも思う。

家のない異端の元カリスマホストと変わった人たち

自分のダサさに気づかせてくれた友達

歌舞伎町の住人と言われる人はたくさんいる。私も人にはそう言われるし、自分は何者か？　とカテゴライズせざるを得ないならば、それが一番しっくりくるように思う。

しかし私は、20代の頃は仕事以外で歌舞伎町にいることはほとんどなかった。

私は、本来自分はこんな街にいる人間じゃなくて、一流大学を出て一流企業に就職すべき人間で、いずれそんなルートに戻るんだと思っていた。南青山に住んで、港区で遊んで、自分はあっちの人間なんだ。と言い聞かせていた。友達の質でヒエラルキーを考えたりすることに辟易しながらも、それが普通なんだって自分に言い聞かせて、都会の人間になろうとする最もダサい田舎者だった。

30代になっても私は何者にもならず、ただのダサい田舎者のままだった。もう虚勢を張ることにも疲れていた。そうしたら初めて歌舞伎町の景観が立体感を帯びて目に映った。街がキラキラ輝いていた。ネオンの光が優しく抱きしめてくれているように感じた。この街が自分を受け入れてくれたような気がして涙が出た。

それから私は歌舞伎町の虜だ。

自分はダサいと気づかせてくれた友達の1人にカヲルという奴がいる。カヲルは私の知る限り誰よりも歌舞伎町の住人だ。出会ったのは20年以上前だが、彼はそのときからずっと歌舞伎町に住んでいる。リアル歌舞伎町の住人だ。というか家という概念がそのときからない。「意味ないじゃん」とずっと言っていた。

カヲルは独立するのが難しいと言われていた90年代の歌舞伎町で、20代前半で同じ年の仲間と勢いでホストクラブ「イヴ」をオープンした。勢いで始めた無秩序でサークルのような店だったが、当時若者に流行っていた雑誌『ｅｇｇ』に出ているようなギャル男と言われている男の子がたくさん集まって一大ブームを巻き起こした。昨今の歌舞伎町のネオホストのようなカジュアルスタイルを90年代に成功させた歌舞伎町のホスト史でも重要な店だったと思う。

カヲルは歌舞伎町でも異端のカリスマホストとして超有名人だった。赤髪で顔中ピアスだらけの風貌が時代とマッチしていてオシャレに映った。後輩のギャル男たちを引き連れるまさにカリスマだった。

私とは同じ年で、他店のライバルでありながらも、同世代の売れっ子ホストたちとは撮影等で一緒になることが多く自然と仲良くなっていた。26歳で私が独立してからも変わらず仲良くしていた。

イヴは儲かりに儲かり、歌舞伎町最大級の店に移転した。しかし、それが失敗だった。小さい店で勢いがあって若者が好き勝手やっている集団がちゃんとした内装の大箱に移ったことで、チグハグさが生まれてしまった。若者たちも大人になってしまい、かつての勢いはなくなっていた。時代に抱かれるというのはこういうことなのかと思うほど、急降下でお店の調子は悪くなっていった。数年後に閉店し、ホストたちは散り散りになった。

カヲルはバーも経営していたので、そのまま歌舞伎町に居続けた。そこからもカヲルは変わらず異端のまま生きていた。お笑い芸人になると言い出し、ライブを行うようになったり吉本興業に所属したり、今では電撃ネットワークの一員でもある。しかし、それらはあくまでカヲルの一面にすぎず、むしろカヲルという人間を理解できなくさせるとすら思っている。

カヲルはホストでもバーテンダーでも経営者でもお笑い芸人でもない。抜群なセンスを持ったただの酔っ払いだ。それくらいがちょうどいい。ピカピカ光る大きな盆栽を一時期作っていたが続けていれば一財産築いただろう。飽きたらしい。数年前は、夏に湘南に行くと、海の家の裏でござを敷いて、しょうもないおもちゃを売っていた。カヲルに「なんで？」は通用しない。このときも、儲かるんだよ、と言っていたが、そんな理由ではないように思う。夏だから、とも言っていた。

カヲルはたいがい歌舞伎町にいるので、誘えばすぐ捕まる。昼間からストロングを飲んでいるので、大体酔っている。そして何人か引き連れている。私はその様子をカヲル牧場と呼んでいる。カギカッコつきの一般社会と言われているところから見ると、歌舞伎町には「変わっている」と言われる人がたくさんいる。私もそこに分類されるだろうし、カヲルはまさにそうだ。カヲルが連れている方々は、カヲルに負けず劣らず個性的な人たちばかりだ。そして毎回違う方々と一緒にいる。入れ替え戦でもあるのか、定期的にメンバーが替わっている。

先日民放キー局のプロデューサーとその彼女をカヲルに紹介しようと思い、カヲルが経営し住んでいるバーに連れて行った。店には誰もいなかったが、鍵は開いていて中で待った（これはいつものことで深夜だと大体誰かが寝ている）。しばらくしてカヲルが仲間数人と店に戻ってきた。深夜のカヲルの店は、まさに牧場で放牧された人たちのたまり場だ。人間だけではない、梟やハリネズミ、モルモット、蛇、と行くたびに動物も増えている（蛇が逃げ出して1週間見つからないときもあった）。お酒は基本缶物だ。家飲みスタイルだ。料金体系は聞いたことがない。

狭い店だ。私の連れのプロデューサーの隣に、カヲル牧場の1人の女性がすーっと自然に座った。上下パンツスーツの黒髪で、歌舞伎町の深夜にもカヲル牧場にもあまり似合わない雰囲気の女性だった。プロデューサーに変な絡み方をすることはないだろうと気を抜いた瞬間、いきなりプロデューサーをビンタした。あっけに取られた。彼女は鬼のような形相をしていた。プロデューサーも突然の出来事に怒るでもなく、「え？」とキョトンとしている。

私も驚いた。しかし、周りの仲間は特に騒がないし、止めない。さらに彼女はビンタを続けた。状況が飲み込めず必死に防御するプロデューサー。ひょっとしたら自分に非があったのではないか？　知り合いだったか？　と誰もがいきなりビンタをされれば先ずは思うだろう。しかしそれ以上の考えに至らせないスピード感。苦笑いしながら頭を整理するしかない。

さらにその女性と一緒に飲んでいる仲間の青髪の女性に対しては、驚くような罵声（文字にするのも憚られる）を吐き始めた。「え？　友達じゃないの？」と私が聞いたら、お前は誰だよ、殺すぞと返される。そして隣のプロデューサーをビンタする。青髪の女性は下をずっと向いて黙っている。カヲルは笑っている。初対面でいきなり鬼の形相でビンタされまくる、というシチュエーションの対処法なんて誰も持ち合わせていない。

しかし、この人たちにとっては日常なのかもしれない。この牧場の空気に飲み込まれ一般的に正しいと言われる対処法について考えることは忘れ、この人たちについて思いを馳せるようになった私だったが、プロデューサーの彼女はまだこちら側に来ていなかった。ビンタに対して防御するプロデューサーの背中で彼女が泣いていた。そりゃそうだ。自分の男が見知らぬ女性にビンタをされ続けているのだ。それを見て周りも止めないのだから。

私も一旦一般社会の感覚に戻り、店を出たが後の祭りだった。プロデューサーの彼女も自分自身で感情が整理できないのだろう。問題が明確ではないからたちが悪い。初対面でいきなり殴りかかる人が悪い。それを笑っている周りも悪い。自分の彼氏が殴られるのを黙って見ている。そういう時間を与えた我々が悪い。ではどうすれば良かったのだろうか。彼女が殴り返せば良かったのだろうか……。


「変わった人」ってなんだろう。一般社会で生きるのが得意でない人たちのことか？

右へ倣えができない人たちのことか。カヲルは超金持ちのときから家がなかった。ボヘミアンみたいな格好も20年近く変わっていない。

「なんで顔にそんなにピアスしてるの？」

「なんで家ないの？」

「なんで裸足なの？」

「なんで？　なんで？」

私は20年間カヲルに聞いてきた。カヲルは明確な理由を求める私を納得させる答えをくれることはなかった。「家だってお金あるんだから借りておけば荷物置けるじゃん」と聞けば、「店あるし」みたいな感じだった。


カヲルの周りにはいつも新しい変わった人たちがいる。それは変わった人たちなのか？　自分の気持ちをさらけ出して、心を解放して感情をぶつけ合うことが、変わったことなのか。

一般社会で生きることは難しい。矯正しないと生きられない。矯正することが当たり前で普通のことなのか。

小学校の頃、通学路で怪しいおもちゃを売っているおじさんがいた。近所にはちょっとしたことですぐ怒るおじさんがいた。駄菓子屋のおばちゃんはめっちゃ性格が悪かった。

そういう人たちから私たちは何かを学んでいたように思う。生きるということを学んでいたように思う。

そんな私もカヲル牧場の一員なのだろう。

そういえば、昔泣きながら服を捲り上げて胸を露わにしながら、「揉んでください」と懇願する女性客がいた。カヲルはその子にめちゃくちゃ怒っていた。でも、それはただの風景で、私たちはまったく別の話をしながら飲み続けていた。

何回もカヲル牧場に行ったことがあるのに、こうやって起きたことを思い出そうとしてもあまり覚えていない。恐らく起きたことすべて、一般社会の基準で考えれば変わったことだったのだろう。でもほとんど誰がいて、何が起きたのかを覚えていない。私の脳みそのどの引き出しにしまわれたのだろう。でも生きるってそういうことなのかもしれない。心を解放することを受け入れてくれるのがカヲルであり歌舞伎町なのかもしれない。この牧場は感情のリミッターを外してくれる場所なのかもしれない。

しかし、恋愛というものが絡んでくるといささか様相が変わってくる。

手の込んだ恋愛の復讐

私が独立したての頃、20年近く前の話だ。

私はずっと税金の面倒は高校の同級生の税理士に見て貰っている。その同級生が数カ月海外に転勤になってしまったときがあった。遠隔で相談することは可能だが、これを機会にもう1人水商売に特化した財務のプロを雇おうと思い、周りの友達に相談した。歌舞伎町の中でそういう仕事の話が一番できる友達は、カヲルと共に独立したつよしという男だった。自由奔放なカヲルは神輿で、実質の経営者は彼だった。カヲルが自由にやれるのも彼のおかげだった（今は化粧品の輸入会社の社長をやっている）。

つよしに相談したら、彼らがお願いしている経理の人が優秀だと教えてくれた。個人で開業しているファイナンシャルプランナーで、経理面を整えてくれるということだった。まだ手書きで伝票の整理も売上の管理もしていた私には、もってこいの人だった。私たちよりも少し年上の女性だった。彼女とカヲルたちとの付き合いは、彼らのホストクラブにカヲル指名で来店したことがきっかけだった。だからホストクラブの会計の仕組みや文化もわかっていて、すでにホストクラブの経理を見たことがあって、それでいて安い。

経理面を整えて貰うために私は彼女を採用した。ホストクラブの経理は複雑だ。お店の売上や商品の売上が、ホスト個人の売上に紐づいて、さらにそのホスト個人の総売上によって報酬のバック率も変わる。それにお客様1人1人の売掛の管理などもある。財務の交通整理が必要な時期だったので、私たちの店よりも大きなお店の経理を整えている方はうってつけだった。

ミーティングを重ねて、少しずつ経理面が整理されていった。とてもクレバーな方で柔軟にうちの店に合った経理の仕組みをどんどん取り入れてくれた。それから数カ月後、税務調査が会社に入った。初めてだったので、私は戸惑った。税理士も海外にいた。彼女に相談した。彼女の存在はとても心強かった。「対応は私がします」と言ってくれて、税務署とやり取りをしてくれた。資料も彼女が用意し、彼女と税務署との面談が何回か過ぎたときに、「修正申告で○○万円を払ってくれれば終わります」と言われた。私は、書類にサインをしてお金を彼女に渡した。初めての税務調査はあっという間に終わったと思った。

それから数日後、彼女に「形式的に一度税務署で手塚さんが面談をしなければいけなくなりました。あくまで形式的なもので、担当の税務官でない方と先に話したことにしなければいけない手順があって、そのための面談です。だから、一応、まだ税務調査が終わっていない体裁で面談をしますが、何も心配はいりません。手塚さんは何も喋らないでただ私の隣にいてくれればいいです」と言われたので、彼女と２人で税務署に行った。彼女の言っていた通り、何だかつじつまが合わないな〜と思ったが、その場では彼女に従って黙っていた。あっという間に面談が終わった。いま一つ腑に落ちなかったが、そういうものなんだな〜と思っていた。

数日後、私に税務署から電話が掛かってきた。次回の打ち合わせの話だった。完全に私の認識と話がズレていた。もう税務調査は終わったのではないですか？　お金も払いましたよね？　と聞いたら、何のことですか？　税務調査はこれからですよ、と言われた。

実は彼女は一度も税務署と面談をしていなかった。修正申告の書類も偽造だった。税務署の方にも、私と２人で行ったあのとき、初めて彼女と会ったと言われた。すごい度胸だと思った。私は彼女にお金を騙し取られたということだった。彼女とは連絡が途絶えた。

その後の税務調査では、税務署の方も同情してくれたのか、まだ会社の規模が小さかったからなのか、びっくりするくらいあっという間に終わった。

私たちは彼女を捜した。カヲルもかなり申し訳なさそうにしていた。初めて見るような困惑ぶりだった。私の責任であってカヲルを責める気は毛頭なかった。数カ月後カヲルが彼女の居場所を突き止めてくれた。カヲルは連れて行かず1人で会いに行った。教えられた住所に彼女はいた。部屋に私を招き入れた彼女に悪びれた様子はなかった。部屋は散らかりまくっていた。お金を返してくれと言ったら、もうないと平然と言われた。「じゃあ警察に行きましょう」と言ったら素直に付いてきた。近所の交番にまず行ったが、まったく話を聞き入れてくれなかった。私も警察に行ってどうこうなるとは思っていなかった。彼女が少しは反省してくれるかなと思ったくらいだったが、まったくその効果はなかった。反省は微塵も感じられなかった。さすがに私も頭にきた。場所を変えてファミレスでしつこく彼女に詰め寄った。数時間後お互い疲れ果てたときに彼女が言った。

「カヲルを苦しめたかった」

彼女はずっとカヲルが好きでお店に通っていた。お店に通うだけではなく、もっと彼のためになることをしようと思ってお店の経理も手伝うようになった。それでもカヲルは彼女に振り向かない。尽くしても尽くしても意味がなかった。どうにか振り向かせようと嫌がらせをしだした。しかしカヲルもカリスマホスト、そんな手には乗らない。全然カヲルは堪えない。気にもかけない。そして彼女が思いついた一番カヲルが嫌がることは、カヲルが大事にしている友達を傷つけることだった。そんなときに現れたのが私だったのだ。

彼女の思惑は当たっていた。カヲルは傷ついていた。何度も私に謝ってきた。お金も払うと言ってくれた。でも私は自分の未熟さが招いたことだからと断った。税務調査も温情があったように思ったし、と言った。

本音だった。高い授業料にしようと思った。カヲルとの関係を悪くしたくはなかったし、カヲル自身も十分傷ついていたし、この話を引っ張ろうとは思わなかった。

カヲルは誰でも受け入れる。カヲルから去っていくのも自由、また戻ってくるのも自由。カヲルはいつだって歌舞伎町にいる。でもだからこそ誰かの特別な存在になることは難しい。誰にでも優しいというのは同時に誰にでも優しくない。そういうことでもある。

彼女は特別になりたかったのだろう。彼女の思いは叶ったのだろうか。私にとってもカヲルにとっても忘れられない人にはなった。

当然、彼女からの返済は一切なかった。

流行らせようと思わない歌舞伎町の店主たち

ホストたちとソムリエ試験を受けるために

10年ほど前、高校受験もしたことのないホストたちがたくさんいたので、一度でもいいから座学の授業と試験を経験させてみたいと思い、強制的にソムリエ試験に挑戦させた。

建前としてはサービス向上とお客様層を拡げるためと伝えたが、本音はただ勉強させたかったからだ。ホストたちには、そういうことをしたくないからホストになったのに、とグチグチ言われたりもしたが、人生を長い目で見れば一度くらいそういう経験をした方が絶対いいと思い、うまく丸め込んで毎週勉強会を開いた。

みなにやらせるなら自分もやらなければいけない。私もまったく興味のなかったワインの勉強を始めた。始めてみると、実際にワインを飲んでみないとわからないことが多かった。

毎日浴びるように酒を飲むのに私たちはワインのことどころか、酒のことをまったくわかっていなかった。歌舞伎町でワインなんかほとんど飲んだことはない。売上を上げるための記号としてのロマネコンティだったら飲んだことはあったが、当然適当に開けて、適当なグラスで一気に飲んだ。ドンペリやクリュッグのシャンパンを毎日のように飲んでいるのに、ワインの一種だということすら知らなかった。みんなに勉強させるためと言いながら、私自身の勉強になった。

実際にワインを飲める場所を歌舞伎町で探した。ネットで歌舞伎町には珍しいワインバーを見つけた。気楽に仲間と行ってみた。

各階ごとに1軒しかない細長い雑居ビルにその店はあった。エレベーター内の店舗表示板に書いてあるそれぞれの店名は店の名前なの？　と疑うような表記ばかりだった。文字ですらなく18禁のマークだけの階もあった。狭いエレベーターが店のある階に辿り着いたので降りると、小さくぐるっと回るような通路の先に客席があった。お客様は誰もいない。強面の坊主頭のマスターらしき人が無愛想な顔で奥の厨房から出てきてテーブルを指さした。テーブルに座ってもメニューは出てこない。

「すいません、メニューをください」と言ってみたら、明らかに不機嫌そうに、いくつかの野菜の名前が書いてある黒板を指さして、「黒板に書いてある食材を、どういう風に料理して、どういうワインと合わせたいか言って」と言われた。

おおお。なんというシステムだ。料理にも明るくない上にワインのことなんて皆目わからない。そんなオーダーできる訳がない。出された課題をクリアできない自分の情けなさと恥ずかしさ、そしてお客は俺だよね？　というちょっとしたイラ立ちの両極端な思いを抱えながら、遠慮がちを装い、ワインを勉強したくて来ました。全然わかりません。教えていただけますか？　と超下手にお願いした。

小学校高学年の頃、どうして呼び出されたのかも覚えていないが、私を含めた3人が誰もいない教室で女性の先生の猛説教を受けた。私は下を向いて涙ぐみながら、どうしてこんなことをしてしまったのだろう、と反省していた（何をしたかは覚えていないが）。しばらくすると隣の田村君が急に、プププとたえていた笑いを音にして溢れさせた。私は驚いた。それに対して先生は驚くのではなく、さらに怒りを露わにして、手に持っているペンを投げつけ、半泣きになりながら怒鳴り散らした。田村君は、一瞬やばって顔をしたが、やはり笑いをこらえるのに必死の表情にすぐ戻って、それを見た先生はさらに怒鳴った。

私はそのときの田村君が、ものすごくカッコよく見えた。余裕に見えたのだ。私は完全に先生のペースに飲まれて、怒られる児童として正しい態度を取っていた。でも田村君は、ちょっと異常なこのシチュエーションを俯瞰して楽しんでいるように見えたのだ。そのときの先生の怒り具合は普段とは違い半端なかった。クラスで一番口が達者な悪ガキがそこにはいなかった。いつもはそいつに言い返されるから、言葉を選んで反論されないように丁寧に怒る先生なのに、このときは言葉を選ばずとにかく叫びまくっていたのだ。私たちに怒っているのか、自分の不甲斐なさに我を忘れているのか、わからないくらい怒っていた。

いつもと違う状況に田村君は気づいておかしくなったのだろうか。後で田村君に聞いてみた。「なんか面白かったよね」と言っていた。田村君の余裕さに憧れた。それは私の人生の教訓になった。普段と違う状況では戸惑うのではなく楽しむんだと。

田村君のおかげで、私はこういう異常事態を客観的に俯瞰する訓練をし、大人になったらその能力は身に付いたように思う。あるとき、キャバクラで不良の方々が喧嘩し出したことがあった。ぴゅんぴゅん飛び交う丸椅子が耳に当たってピアスホールからダラダラ血を流す友達の写真を撮れるくらいには異常事態を楽しめるような人間になっていた。

このマスターの謎の上から目線、客商売と思えないようなオーダーの仕組み、こんな異常事態をとりあえず楽しんでみようと思えるのだ。

下手に出たのが正解だった。マスターは丁寧以上に、うざいくらい丁寧に喋りまくってきた。マスターの独壇場だ。ワインの説明から、料理とのマリアージュの意味を延々と語ってくれた。へー、なるほどー、と益々上機嫌にさせながら、朝までたくさんのワインを飲んだ。誰もお客様は来なかった。それがこの店との出会いだった。

その後私たちは毎日のように、この店に通った。私たちが行く深夜にはほとんど他のお客様を見ることがないので、いつも貸切状態で私たちにワインについて教えてくれた。そのおかげで私は1年目でソムリエ資格を取得することができた。

黒板に食材を書いて調理法を選ばせるシステムはいつの間にかなくなっていた。やはり評判が悪かったのだろう。やる気があるのかないのかわからないが、時折そういう謎のチャレンジをするみたいだった。とにかく暇な店だった。入れないことはほぼなかった。深夜に行けばマスターは、アニメを見ているか、寝ているか。そんな10年間でマスターには2人の子供ができた。しかし、店の暇さは変わらなかった。

数年間通って、私もある程度ワインの知識が身に付いてきた。そして自分の好みも系統立ててわかるようになってきた。あるときマスターに「○○とかめっちゃうまいですよね」と、高額ワインの名前を言ったら、「あ〜あ、そっちいっちゃったか……」と残念そうに呟かれた。高い金払えば、そりゃうまいよ。でもここで楽しむのは面白いワインなんだよ、と言われた。

適当にやっているように思っていたのだが、この店にはこの店なりの信念があることを、私は5年以上たってからやっと気づいた。マスターなりのワインバーとしての美学があったのだ。そのときに初めて私は、この店の「売り」を知った。

彼が提供しようとしているものは5年以上通ってやっとわかるものなのだ。そりゃ流行る訳がない。流行らせるつもりもないのだ。生活費が稼げればオッケーなのだ。

私の足は少しずつ遠退《とおの》いた。自分でワインを選べるようになって、いろんなワインバーに行くようになったからだ。

たまに行くときに私はその旨を彼に話した。マスターはめげずにいろいろ提案してきたが、ワインにハマってしまった私は、どこでもワインを飲むようになっていて、そして私の求めるものはここにはなかった。私は巣立ってしまったのだ。

マスターの教育は、ここを巣立たせる教育だったのだ。

最近は、「今月売上がピンチ」という連絡が来るようになった。

以前のように頻繁に行くことはできなくなったが、そういうときは数日以内に行って、ある程度の金額を使うことにしている。こういう店は歌舞伎町に必要だと思うし、育ててくれた恩義もある。このお店で私はワインを覚えた。たまに行っても、やっぱり暇でいつでも入れて、相変わらずな師弟関係で会話ができる。私は自分にとって特別なこの店を失くしたくない。

だから、昔よりも単価を上げてお金を使うようにしている。それが40代になった私ができる役割のような気がする。

どこかの店が閉店するときに「あのお店が閉店……残念だ」みたいなコメントをＳＮＳで見ると、このワインバーを思い出す。そんな呟きを私はしないように、閉店にならないように好きな店を守っていこうと思う。ここは私にとって大事な場所だからだ。暇な店ってやっぱり、癖があって、わかりづらくて、万人受けはしないけど、いつでも入れるし、居心地が良い。

そうやって、わかりづらい居心地の良い店を、自分たちのテリトリーとして守っているお店が歌舞伎町にはたくさんある。

居場所になっている潰れないギリギリのお店ほど、癖があって面白い。商売が上手ではなく、人を使うことも苦手な店主が1人でやっている「居場所」に、私たちはお邪魔する。

大体のお店は特別な酒もないし、特別な料理もない。ただの居場所だ。そして、ちょっと歪んでいる。何だか「普通」ではないんだ。

紹介する言葉もなかなか見つからないお店。この口コミ時代に、ＳＮＳ映えしない内装で、わかりやすい商品もないお店。そういう店が歌舞伎町には多い。コンセプトだとか、コンテクストだとか、適当な数百文字の言葉で表現できるようなお店は歌舞伎町には似合わない。

お客様にとっても、そこは居場所であるだけであって、そこに通っていることがステータスとなるようなファッショナブルなお店は少ない。

クラブもわかりづらい

歌舞伎町には、「クラブ」がある。女性が接客してくれる社交飲食店だ。ここもわかりづらい。わかりづらさの極致かもしれない。なかなか魅力を説明するのが難しい。いや私にはできない。もちろんすべてのクラブに行った訳でもないし、お店によってカラーも違うし、一概に魅力を語れないのは当然だが、そんな前提を踏まえても、簡単な説明すら難しい。

でも、バブル期に比べると軒数は減ったが、現存している大体のお店はめちゃめちゃ混んでいる。私も何軒かのお店に通いだして数年になる。10年くらい通えば言葉にできるようになるのかもしれないが、今の私には言葉にできない。そして堂々と楽しいよ！とも言えない。まだわからないのだ。でも、だから楽しい。わからないことが楽しい。面白くなるハードルが高いということが面白いのだ。

基本的なお店のシステムはほとんどキャバクラと変わらない。時間制ではないのがクラブ、1時間いくらと決まっているのがキャバクラ、という分け方もあるが、どちらも結局会計時に大差はない。1〜2時間いて1人3万〜4万円くらいが相場だ。客層は私の経験上だとキャバクラとは全然違う。キャバクラは若いお客様が多いが、クラブはロマンスグレーのお客様が多い。そして1人のお客様が結構いらっしゃる。キャバクラは団体のお客様が多い。

歌舞伎町で一番流行っていると言われるクラブは、「歌舞伎町の埼京線」と呼ばれている。ぎゅうぎゅうなのだ。25坪くらいのお店にお客様が満員電車のようにソファーに座っている。ゆったり高級感に浸るという雰囲気ではない。働いているのは50代の大ママを筆頭に40代くらいのチーママや何人かのベテランの方々と、バイト風の20代の子。

ほとんどがママたちのお客様だ。お店は大忙しなので、ママたちと長くゆっくり話はできない。男4人で行ったとするならば、1人女の子が付いて、交代でママさんたちが顔を出してくれるという感じだ。話している内容が高尚なのか？　と言われれば、それはお客様によるだろう。

私にはママさん3人から毎週のようにメッセージが届く。季節の挨拶から、うちのバーを使ってくれたこと、可愛がってくれているうちのスタッフと会ったこと、お店のイベントの案内まで、多岐にわたる。

季節ごとに事務所には挨拶文が届き、お歳暮もお中元も届く。それはとても誇らしい。何十年も歌舞伎町で店を張ってきたママたちに「繋がっている人でいたい」と思われているような気持ちになる。この店の客として認められた、という気持ちだ。定期的に顔を出さなければという謎の強迫観念もあるし、そういう風に定期的に遊びに行ける大人でいる「自分」が好きなのかもしれない。新宿のクラブの常連であるということがステータスになるなんて話は外で聞いたことはない。だからこそ、前述したことを否定するような感覚だが、その醍醐味を知っている自分を楽しんでいるのかもしれない。周りのロマンスグレーの先輩方のように毎日楽しめるようになるのかと思うと、未来が明るい。

簡単に魅力がわかるような店なら、行く必要がない。極論すれば行かなくてもわかる。でも歌舞伎町には、行っても行っても魅力を簡単に説明できない店がたくさんある。何が楽しいかもわからないのに、お金は出ていく。ロボットレストランのようにわかりやすいお店ももちろんたくさんある。

でも、私はこういうわかりづらい店こそ歌舞伎町らしいと思う。ちょっと変わった人が生きる場所としての店、そこを居場所として集まる客。ここではないどこかでも平気かもしれない。表面上、同じような店は日本中にあるかもしれない。でも、そこは、そこにしかないのだ。

歌舞伎町に呼び戻した仲間への罪悪感

みなみとの出会いと再会

先日ある一つの居場所がなくなった。みなみという昔の仲間がやっていたスナックだ。

みなみは私が現役ホスト時代に料理人としてお店に入ってきた。

みなみは私にとって初めて出会った「おかま」だった。当時私はみなみのような人のことをまったく理解できていなかった。男は女が好きなのは当たり前で、そうじゃない人は自分が女になりたい人だと思っていた。みなみはロン毛だが風貌はおっさんだった。大仁田厚の相棒の冬木弘道に似ていた。まさにテレビで見たことがあるような、「おかま」っぽい喋り方で、私たち20歳そこそこの田舎者のガキどもがみなみにちょっかいを出すと、「もう私のこと好きだからってー」と、これもテレビのように返してくれた。

断然私たちより大人だった。

私たちはあっという間にみなみと仲良くなった。セクシャリティやジェンダー、「おかま」という言葉の意味も何も理解せず、ただキッチンでいつも私たちの愚痴を聞いてくれて、一緒に遊ぶ楽しい仲間になっていた。

その当時、キッチンにはもう1人おじさんがいた。そのおじさんは元やくざで若いホストが先輩ホストに包丁を持って切りかかったときに素手で包丁を摑んで阻止した人だった。ちんちんに真珠が入っていると自慢していた。私たちは面白い人たちに囲まれてホストをしていたものだ。

数年間みなみとは一緒に働いた。私は仲間数人と独立し、他の仲間も散り散りになった。みなみは六本木のサパークラブでキャストとして働きだした。

それから数年後、歌舞伎町の路上でぼーっと立っているみなみを見つけた。声を掛けるかどうかも悩むくらい暗い表情をしていた。みなみは痩せていて寒そうにたたずんでいた。声を掛けると気まずかったのか手が震えていた。無理矢理作る笑顔で私の問いかけに答えていた。今どこで働いているの？　という問いかけにも的を射ないような回答だった。しばらくして「うちで働きなよ」と私は誘っていた。とても寒そうだったから。

みなみはうちで働くことになった。料理人としてではなく、ちょうど友達が小さいバーを閉めるという話と時期が重なったので、スナックみなみを開店させた。みなみは元気になっていったように感じたし、初めてみなみと出会ったときの私と同じように、グループの若いホストを可愛がってくれた。みなみの居場所ができたと思った。しかし経営的にはあまりうまくいかなかった。そうなると私との関係もぎくしゃくするようになってしまった。お互い嫌いになった訳ではないが、ビジネスというものは、そうやって人間関係を難しくするものだ。約5年お店を続けたが、閉店することになった。

その後のみなみの動向は人伝てで聞くようになった。しばらくして、みなみは歌舞伎町に小さなスナックを出した。それも人伝てに聞いた。私は、辞めて独立した人間の店を表立って応援することが難しい立場だ。オープンしてかなり時間が経ってから、酔った勢いを利用してこそっと飲みに行ってみた。とても小さなお店で、みなみも誰の指図も受けず自由で、まさに自分の家のような店だった。家賃も安いし、従業員も使っていないし、みなみが生活する分には苦ではないだろうなと正直安心した。しょっちゅう飲みに行くことはなかったが、たまに行っては毎回同じような昔ばなしをしていた。

先日、みなみから閉店するという案内が来た。店に行って事情を聞いてみた。みなみは54歳。身体にガタがきたそうだ。私たちが出会ったのは私が20歳でみなみが32歳のときだった。あれから20年が経っていた。

私はみなみの人生を振り回したのかもしれない。歌舞伎町にみなみを呼び戻してしまったのは私だ。あのとき道で会わなければ、みなみはどこかのお店でのんびりスタッフとして働いて暮らしていたのかもしれない。お店を任せるなんて経験をさせなければ、自分のお店を持とうなんて思わなかったかもしれない。少し休んでのんびりするわと笑顔で言っている姿に悲愴感も後悔もないように見えたが、やはり寂しそうだった。

その日は朝まで飲みまくった。店にあるシャンパンを全部飲んでやろうと思った。それに何の意味があるのかわからない。でも私がそうせずにはいられなかった。ベロベロになって私は泣きながらみなみに謝っていた。所詮何もしてあげられなかったという自分の驕りだ。別にみなみだって立派な1人の大人だ。私にそんな偉そうに責任を感じられる方がプライドは傷つくだろうし、何様だよって感じだ。でもみなみはそんな私に、そんな風に思ってくれて嬉しいと言って、一緒に泣いてくれた。それが本音ではないと思う。本当は悔しいのかもしれない。でもそう言ってくれた。

泣いたり、騒いだり、よくある朝方の意味不明で無意味な、正しいスナックの酔っ払い祭りになっていた。いつの間にかトイレに行ったみなみがなかなか帰ってこなかった。様子を見に行くと、店の外でみなみはうずくまっていた。外は雪が降っていた。その年の初雪だった。私は声を掛けずに店に戻った。無理して騒いでいたみなみを弱ったみなみにしてはいけないと思った。元気な声を出してみなみは店に戻ってきた。

数日後、ついに閉店の日がやってきた。最後の日は私みたいな、独りよがりの客がいいとこ取りのように行くのではなく、本当にこの店に通い続けていたお客様たちで終えるべきだと思って行かないつもりだった。しかしちょうどその日がホストクラブのイベントで、私も酔っぱらった勢いで、様子伺いのラインをみなみに送ってしまった。席が空いているというので、私と同様20年前からみなみを知っている仲間と一緒にお店に行った。朝が近づくにつれて客は私たちだけになった。私は仲間をさらに呼んだ。

営業終了時間は過ぎた。私たちが帰れば、この店は閉店だ。その日は前回と違って明るい仲間たちと、どうやってお店を閉めるか？　なんて騒いで飲んでいた。飲み続けた。いい感じのラストソングを歌って帰ろうよ、と言っていろんな最後っぽい歌を代わる代わる歌うが、どれもしっくりこない。もう朝の9時を回っていた。誰も経験したことがないのだ。正解がわからないのだ。そして誰もが終わらせたくなかったのだろう。もうキリがなかった。10時半を回った頃に、私が決断した。みなみが一番好きな歌を歌って終わろう。みなみが選んだ曲は、アリスの「チャンピオン」だった。寂しいどころかまだまだ盛り上がる曲だ。でも歌詞は、

　つかみかけた熱い腕を
ふりほどいて君は出てゆく

みなみが歌っている途中で帰ろう。

私が言った。曲が終わって別れの乾杯なんかしないで、また元気に会えるように、これが終わりって感じにならないように。

私たちは笑いながら店を出た。こんな終わり方ってありかよーなんて笑いながら扉を閉めた。扉の向こうでみなみの「ライラライラライラライラライラライ」が響いていた。

翌日、不動産屋に連絡して、私はそのお店を借りた。

新宿ゴールデン街の怪物たちとの付き合い方

ゴールデン街の歴史

「歌舞伎町にわかりやすく美味しいお店はない」でも紹介したように、歌舞伎町には「ゴールデン街」という独特な一帯がある。

そもそもの発端は第二次世界大戦直後にまで遡る。駅周辺の闇市から追いやられた人たちと、合法の売春地帯である赤線と非合法の青線があった２丁目から流れてきた人たちが形成した。闇市から流れてきた人たちは当初は飲食などの商売をしようと試みたが駅からも遠くうまくいかず、大方が青線に業務転換していき、ゴールデン街は青線地帯となった（ゴールデン街と呼ばれるようになったのは１９６５年頃である）。

１９５８年に売春防止法が施行され、そこから現在のような飲み屋街に徐々に移行していく。戦後の闇市は無法地帯であったが、それは自由であったとも言える。だから多種多様な人が集まった。その名残をゴールデン街は引き継いでいったのではないだろうか。制約に縛られない表現者、文化人が集い思想と欲望をぶつけ合う格好の場所だったのだろう。60年代、70年代の新宿のカオスさは『60年代新宿アナザー・ストーリー』に詳しいが、正直羨ましい。そんな新宿に憧れた人たちがいまだにゴールデン街のカオスを維持しているように思う。

私が歌舞伎町にやってきた90年代のゴールデン街は、世代が入れ替わり、そして地上げ屋の介入、バブル崩壊と続き、以前の勢いは衰えて閑散とした雰囲気だったように思う。しかし00年代頃から少しずつ外からの若い世代が増え、ゴールデン街全体が活気を取り戻していった。

重鎮ばかりの旅行にて

２００５年、新宿ゴールデン街の空き物件の話が回ってきた。ゴールデン街の物件はお店の常連さんや、スタッフが引き継いだりして外に出回ることはあまりない。しかし、ここの大家さんは、ゴールデン街の外の空気を入れたいという理由で私のところに話が回ってきた。

当時は、まだ、今のようにゴールデン街ブームになっておらず、物件はそこそこ出ていた（今はどれだけ待っても出てこない）。ゴールデン街のルールや秩序もよくわからないままに、条件の良さに引かれてバーをオープンさせた。

私はホストクラブを始めたばかりで忙しく、ゴールデン街のバーに関してはホストクラブでバーテンダーをしていた大人しい店長に任せっきりになっていた。私もたまに顔を出すくらいで、ゴールデン街の他の店に飲みに行くこともほとんどなかった。正直20代の私はゴールデン街の魅力がまったくわかっていなかった。

大人しい店長も、特に私にゴールデン街という村独特のしきたりや習わしを報告することもなく、大人しく下から下からゴールデン街の住人たちと問題なく接して過ごしていた。

オープンからしばらくして、ゴールデン街の組合の旅行があると聞いた。以前から興味のある地方の美術館を回るというので、軽い気持ちで私も付いて行った。

朝、マイクロバスに乗り込んで、そんな軽い気持ちで参加するものではないことがすぐにわかった。みんな仕事終わりでべろべろ。粗暴な態度で、「誰だ？　お前」と何回も聞かれた。バスの中は大宴会だった。飲み物は焼酎のペットボトルが回ってくる。それを自分のプラカップに注いでみんな飲んでいた。とにかく絡まれないように、小さくなって目立たないようにしていた。途中立ち寄るところでも、酔っ払いの方々の視界に入らないように、うまく追行していた。どうにか怪我もなく夜の宴会を迎えた。先輩方はまだまだ元気だ。

宴会は最初から一般的な宴会終盤の無礼講のような様相だ。その中でも素面で優しそうなお兄さんを見つけて、隣に陣取った。よく見るとこのお兄さんは首まで入れ墨がびっちり入っていて、顔にもタトゥーが入っていた。しかしこの大暴れ軍団の中では、それは気にもならないくらいのことであった。お兄さんは優しかった。先輩面することなく、静かに接してくれた。あの裸で暴れている方はどんな方ですか？　あの裸で歌っている方はどんな方ですか？　あの裸で怒っている方はどんな方ですか？　あの裸で寝ている方はどんな方ですか？　私は、目立っている風貌や行動の方について聞いてみた。

　しかし回答は、すべて、

「重鎮やよ」

　ただそれだけだった。

　後々わかることだが、これは端的な言葉なのではなく、ぴったりの言葉だった。暴れている方々はゴールデン街の重鎮ばかりだった。そして、その重鎮さを、属性や肩書で説明すると重鎮さが薄れてしまう。「長年ゴールデン街にいる人」という言い方がわかりやすいように思うが、長くいるだけではなく、街のムードメーカーであり、人と人のハブになっていたり、後輩たちに慕われていたり、肩書だけではないまさに大事なキーパーソンたち、まさに重鎮なのだ。

　ゴールデン街には二つの組合があって、その一つの組合の旅行だったのだが、理事やら理事長やら偉いとされている人はいる。重鎮はそういうところに名前を連ねている人もいれば連ねていない人もいる。組織の偉い人イコール重鎮ではないのだ。

重鎮がいっぱいいるなぁ、とそのときは思ったものだが、２５０軒もの癖のあるお店が集まって、さらに観光地化してしまっても自治区のように独特の文化が成り立っているのは、重鎮がたくさんいるからだということも後になってからわかった。宴会は重鎮たちが後輩たちを煽り、後輩たちもだんだんと酔っぱらってまさに無礼講になっていく。恐ろしい飲み会だった。

永遠に続く宴から、私はそそくさと近所のスナックに逃げ出した。

私は自他ともに認めるのんべえだ。でも、ゴールデン街の先輩方の前では小学生みたいなものだ。私の飲んでいるものは酒ではないのかもしれない。と思わせられる。

まさに怪物たちだ。怪物たちが身をもって怪物であるということを見せつけているのだ。そして怪物たちがさらに次なる怪物を、身を挺して育てているのだ。

私は、毎年開かれているこの旅行に、このとき以来参加していない。ゴールデン街の忘年会などの行事にも参加していない。生半可な気持ちで怪物たちと接することはできない。

私も、自分で言うのもなんだがホスト界では重鎮の1人だ。それは命を懸けてホストクラブのこと、ホスト業界のことを20年以上考えてきたからだ。だから誇りを持って生きていられる。堅苦しい古いことを若者に言うこともあるだろう。目の上のたんこぶと思われることもあるだろう。しかしそういう先輩という存在があるから、壁を破ろうとするイノベーションが生まれ、業界は進化し文化は継承されていくのだと思っている。

守破離《しゅはり》の精神だ。

ゴールデン街もこの重鎮たちが身体を張ってゴールデン街が何たるかを引き継いできて、さらに身体を張って、後輩たちが引き継いでいっているのだ。守破離の精神で引き継ごうという強い意識がなければ、あんな怪物たちとは正面から関わってはいけない。私はゴールデン街でカウンターに立ったことはないし、働いたこともない。それを引き継ぐ資格もない。見守っているしかない。

ゴールデン街の数珠繋ぎ飲み

ゴールデン街の遊び方は？ 飲み方は？ と問われれば、答えは難しい。

まずは怪物重鎮たちが、心を裸にして人間と人間のぶつかり合いをしている土壌が、街の根底にあるということを知ることだろう。その上で、どうやって遊ぶか？ という話に繋がる。

古い外観、狭い店内、狭い路地……外国人観光客のように雰囲気を楽しむのは簡単だ。適当にプラッと入って雰囲気を味わって一杯飲むことも簡単だ。

でもゴールデン街では、怪物たちと心を裸にしてぶつかり合うことが、真の飲み方だと私は思う（私も滅多にできないしできれば避けたい）。

そうするにはどうすればいいか？ 通い続けるしかない。そして少しずつテリトリーを拡げていく。意外に普通のことだ。

しかしなるべく早く体験する方法は、それを早送りでやるということだ。適当な店に入って、次の店を紹介され、また次の店を紹介され、と永遠に続く数珠繋ぎ飲みをしてみることだ。意識朦朧になるくらいの酔っ払いになった頃に、きっとカウンター越しか、隣の席か、突然ゴールデン街の怪物が現れることだろう。朦朧とする意識の中で、誰と言い合っているのか、何を言い合っているのかもよくわからず、いつの間にか自分のアイデンティティを丸裸にされ、涙したりげろを吐いたりして、どうやって帰ったのかも覚えてなく、次の日は泥のように眠る。それがゴールデン街の正しい飲み方のように私は思う。

怪物たちが物理的に裸になるということは、心を裸にさせることを表しているように思う。出自や、歩んできた人生や、年齢、ましてや肩書なんて関係ない。

「お前は誰だ」

ゴールデン街は「お前は誰だ」を突きつける街だ。俺は誰だ？　を考える街だ。肩書なんかに頼れない。肩書なんか通用しない。自分のこだわりを否定され、コンプレックスを鼻で笑われ、時には言い負かされ、大事なものが研ぎ澄まされていく。途中で感情が爆発してしまうこともよくある。爆発させるような言い方をする人もよくいる。前提なんか関係なくその場で話が生まれて、その場で議論する。

攻撃的な怪物だけではない。一見大人しい怪物もたくさんいる。そういう人の方が我が強い。酔っぱらってぶつかり合ってくれる人よりも恐ろしい。認められるには何年掛かるのだろうか。私にはわからない。

怪物たちとぶつかり合ったり、すれ違ったりしながら、そうやってゴールデン街の人たちは育てられて文化を継承していくのだと思う。

ゴールデン街の文化を継承している同世代を見ると、芯があって癖があって人間的に魅力的な人ばかりだ。きっと彼らが次の怪物になっていくのだろう。今のうちから気を使っておこうと思う。

憧れの先輩ホストとゴールデン街で育つということ

大学とは比べものにならない刺激

私の会社も今ではゴールデン街に3軒の店を構えている。ゴールデン街のことをこうやって偉そうに書いたりできるくらい私自身ゴールデン街との関係性を持てるようになったのは、私の代わりに、何年もじっくりと怪物たちとしっかり向き合ってくれた仲間たちがいたからだ。

「あーあのホストの店ね」と言われるところから始まって、「ゴールデン街の一員にさせて貰えるように、仲間たちが積極的に住人たちと交流をはかって、そして住人になってくれたからだ。今では若手のリーダー格の1人として組合の理事になっている人間もいる。そんな流れを先陣きって作ってくれたのが奈苗ちゃんだ。

奈苗ちゃんと私は19歳のときに歌舞伎町で出会った。

私は、軽い気持ちでホストの世界に足を踏み入れた。90年代の歌舞伎町は、一昔前の歌舞伎町のイメージを超越するくらいバイオレンスでアンダーグラウンドな世界だった。私はそれまでの人生とあまりにも真逆なヒリヒリした日々の緊張感に惹かれた。ラグビーをやめて1年が経った頃で、ギリギリで生きる緊張感に飢えていたのかもしれない。しかしそれは今になって振り返って思う話であって、当時の、子供だった私は単純に先輩のカッコよさに憧れた。これが一番大きかったように思う。

先輩たちはカッコよかった。そして先輩たちと一緒にいる女性たちもカッコよかった。20歳そこらの先輩でもみな10年近い社会人経験をしている人たちばかりだった。ぬくぬく田園地域で学生生活を送ってきた私からすると、超都会的な大人に見えた。さらに私が入ったお店の先輩は見た目もカッコよかった。大学に入るのと同時にホストの業界に入ったので、いくつかのイベントサークルにも遊びに行ったがサークルの先輩とホストの先輩は比べものにならなかった。

そんな中で一番カッコいい先輩が大西さんだった。渋谷のチーマー上がりで、芸能人のような顔立ちなのに、豪快でひょうきんで自由で破天荒。男にも女にも憧れられる存在だった。特に私を可愛がってくれた。営業終了後に酔っぱらった勢いでタクシーで新潟に行ったり、八丈島に行ったり、競馬に行って大勝して夜に全部キャバクラで使い切ったり、いろんなところに連れて行って貰った。

中野で酔っぱらって３人に絡まれて喧嘩になったときに、メガネがすぐに吹っ飛びぼこぼこにされてしまって痛みに悶えていたら、いつの間にか相手は大西さんの前で全員正座をしていたこともあった。

そんな憧れの先輩と一緒に住んでいたのが奈苗ちゃんだった。私はその家に居候させて貰っていた。厳密に言うと私は、その家の近くに部屋を借りていたのだが、２人の家にほぼ住んでいた。

私がホストを続けることになった理由は、この２人に憧れて、一緒に過ごす時間が大好きだったからだと言っても過言ではない。2人一緒に歩いている姿はまさにモデルだった。それにコバンザメのように付いて行く自分も嫌いじゃなかった。私を弟のように扱ってくれて、家族のように扱ってくれて、ずっとそれに甘えていた。

しかしそんな生活は長くは続かなかった。水商売の世界は1年が10年に値すると言われるくらい、状況も立場も目まぐるしく変わる。必死にホストの仕事に向き合っていた私も、だんだんお店での立場が上がっていった。一人前のホストになって自分も後輩の面倒を見るようになって、大西さんの家からも自然と出ていた。でも大西さんと奈苗ちゃんと会うと昔のままの関係でいられた。その時間がとても好きだった。その頃に奈苗ちゃんはみやちゃんを産んだ。

大西さんとはお店でほとんど関わらなくなっていった。私も私で立場を確立しなければいけなくなり、人前で甘える訳にもいかず、だからといって偉そうに対等に話すこともできない。接し方が難しくなっていった。

私の売上が上がることによって、憧れはいつしか、ライバル関係という対立軸にお膳立てさせられるようになった。その渦は当人たちではどうにもならない流れになり、私も自らそれを助長させた。

私は成り上がることに必死だった。でも、いくら私が売上を上げても後輩たちは私には付いてこなかった。後輩たちが憧れるのは大西さんだった。だから余計売上を上げることに必死になった。大西さんみたいに生き方も見た目もカッコよくない自分は、結果で見せるしかなかった。大西さんの存在がいつの間にか私の器の小ささを目立たせるようになっていた。憧れは悔しさと妬みの原因に変わっていた。もう後戻りができないくらい、私はホストの仕事に没頭するしかなくなった。

12カ月連続でナンバーワンを取るというのがホストにとっての大きな称号だ。なぜなら12カ月連続でナンバーワンになるということは、同じお店で働いているすべてのホストの誕生月で勝つという完全勝利を意味するからだ。

私は23歳のとき、そのチャンスを迎えていた。その12カ月目は、大西さんの誕生月だった。1年前大西さんに負けて以来、11カ月連続でナンバーワンを取ったのだ。その頃は、もう外でも会う機会はなく、お店でもほとんど喋ることはなくなっていた。そうやって自分の立場の確立に必死になっていた。そしてホストとしての売上の力は大西さんをすでに上回っていた。

この月に私がナンバーワンを取るということは、それは大西さんの第一線のホストとしての終焉を意味することでもあった。私に完全勝利されるということはそういうことだ。

私はトイレに大西さんを呼んだ。久々の会話だった。「何だよ、どした？」と昔のままのカッコいい笑顔で私に問いかけてくれた。やっぱり2人になれば昔のまんまなんだと嬉しくなった。自然と涙が出た。「大西さん、俺、勝っていいですか？」と言葉にならないようなしゃくる声でどうにか言った。「当たり前だよ。何言ってんだよ」と笑いながら答えてくれた。やっぱり大西さんはカッコよかった。

その後、大西さんは現役ホストをあがり新しいお店の経営側にまわった。

ゴールデン街生まれゴールデン街育ち

数年後、私は独立してしばらく経ってから、奈苗ちゃんと再会した。2人は離婚して奈苗ちゃんがみやちゃんを育てていた。大西さんもホストクラブを辞めて地方に引っ越していた。一緒に過ごしていた頃から10年近く経っていた。

奈苗ちゃんは元気がなかった。濃すぎる青春を過ごした燃え尽き症候群なのか、一般社会のつまらなさを痛感していたのか、私の知っている奈苗ちゃんではなかった。

ゴールデン街の、人と人が裸で向き合う場所という魅力を知ってしばらく経った頃だった。奈苗ちゃんに向いている場所があるよ、と教えてあげた。ゴールデン街には大西さんに負けず劣らず魅力的な人がたくさんいると思ったし、その魅力は、人と深く付き合うことができなければ享受できない。人と深くしか付き合うことができない奈苗ちゃんにはピッタリだった。それから奈苗ちゃんはどっぷりゴールデン街にハマっていった。

みやちゃんにも、再び会うようになった。生まれたての頃からは随分大きくなっていたが、ゴールデン街のお祭りでは子供用プールを設置して遊んだり、一緒にみんなで旅行に行ったり、ゴールデン街の仲間みなに育てられていた。小学校高学年の頃にみんなで川遊びに行った。発育の早かったみやちゃんはすでに胸が膨らんでいたが、事前に私たちバカな男性陣に奈苗ちゃんから絶対に胸の話題に触れるな、とお達しがあり、私たちは小学生の女子の繊細さを教わった。しかしデリカシーのない私はそんなみやちゃんの鼻の下の産毛を見て、「ひげ生えてるね」って言ってしまった。胸のことには触れなかったのに、そんなことを言ってしまったせいで5年以上も口をきいてくれなかった。私とは話してくれないが、変わらずゴールデン街の仲間たちと一緒に過ごし、少しずつ大きくなっているのを、時折見かけて微笑ましく思っていた。寂しかったが。

やっと喋ってくれるようになったのは17歳くらいのときだったろうか。しかし説教臭い私は、面倒臭いおじさんという扱いだった。親同然のような人間が何人もいて、みやちゃんは彼氏を作るのも一苦労。みんながお節介していた。そしてやっぱり奈苗ちゃんに似てびっくりするくらいの美人に育っていった。芸能事務所にスカウトされてモデルっぽいことをしだしたが水が合わずすぐにやめた。

なんだかんだみなに過保護に育てられたのか、のらりくらりしているのを奈苗ちゃんが見かねて、高校を卒業して、うちの会社の新しいレストランバーができるタイミングでうちで働き始めた。

それから2年が経ち、みやちゃんも20歳になった。成人式の日の奈苗ちゃんの「お疲れ様わたし」というSNSの投稿に、私も、本当にお疲れ様奈苗ちゃん、いろいろあったね、と思った。ゴールデン街の仲間たちも会社の仲間たちもみなで喜んだ。


1カ月後。奈苗ちゃんからラインが来た。

「みやが妊娠した」

「カエルの子はカエルだよ……相手はもういないよ。歌舞伎町のみなで育てるよ。わたしのことはパパって呼ばせようかな」

奈苗ちゃんに休まる時間はない。

ゴールデン街の仲間たちも、また家族が増えることを当然喜び、楽しみにしている。

多様性を知りたかったら 歌舞伎町に来ればいいんだよ

歌舞伎町にはなぜ外国人が多いのか

歌舞伎町には外国人が当たり前のようにたくさんいる。私が育った埼玉の田舎では外国人を見たことはほとんどなかったし、両親が揃っていない家も少なかった。その後も進学校に入ったからか、その状況はあまり変わらなかった。両親共にいる家族構成、そして家がある。ということが当たり前だと思って生きてきた。一人親家庭やハーフの子なんてテレビの中の世界でしか知らなかった。

私が97年に入店した店で、両親が共にいて、高校を卒業した人は1人もいなかった。違う環境で育った人に慣れる助走経験もないまま、立場が逆転して自分がマイノリティの街に私は入り込んでしまった。

戦後の歌舞伎町の復興において、それまで日本の支配下にあった中国人、朝鮮人、台湾人の解放されたエネルギーはとても大きかった。ＧＨＱが彼らを連合国側と同等に扱うよう位置づける声明を出したことによって、彼らはアメリカ人同様に占領軍専用のマーケットで物品の仕入れができた。それを闇市で転売し力を蓄えた者もたくさんいた。資金を貯めて未開発の歌舞伎町で不動産投資をする人、商売する人がたくさん現れた。それまで散々日本人に苦汁を飲まされてきた反骨心も大きかっただろう。

稲葉佳子・青池憲司『台湾人の歌舞伎町』に詳しいが、鈴木喜兵衛の都市計画にいち早く協力し広場周辺に地球座（映画館）を作ったのも台湾人だった。今でも歌舞伎町のビルオーナーの半分以上が外国籍の人だと言われている。歌舞伎町には韓国系のパチンコ店がたくさんあり、その景品を担って成長したのがロッテである。歌舞伎町は外国籍の人たちと切っても切れない関係がずっと続いている。

さらに溝口敦『歌舞伎町・ヤバさの真相』によると、当時は在日の人たちの就職先が差別によって限られていたというのも大きかった。優秀な人材が繁華街に関わる職種に就いたことも、歌舞伎町における彼らの勢力を拡大させていった要因の一つでもあるようだ。出自など関係ない歌舞伎町は彼らにとっても自由に活動できる格好の場所だったのだろう。誰でも受け入れる土壌は脈々と引き継がれ、私がやってきた90年代にも色濃く残っていた。

外国人に対する免疫がないまま、いろんな環境で育った人、いろんな国籍を持った人といきなりごっちゃになって生きることになったのだが、そんなことはまったく気にならなかったし、何か特別な記憶として残っていることもない。歌舞伎町にはそんなことがまったく関係ない別の尺度がたくさんあったからだと思う。

さらにみんな源氏名で生きているので、誰がどこの国の出身なのか？　なんて忘れてしまう。海外旅行に行くときに、パスポートの違いで思い出したりする程度だ。

とにかく外国籍の人が多い。外国籍の人と言っても、日本語ができる在日の人が多い。ホストクラブやキャバクラで働いている人は日本で生まれ育った人がほとんどだ。大人になってからやってきた人が韓国クラブやフィリピンクラブなどで働いている。カタコトとはいえ、基本は日本語が話せる。中国クラブ、台湾クラブ、タイクラブ、ロシアンクラブなどさまざまな店がある。

最近はアフリカ系の黒人のキャッチが多い。彼らには付いて行かない方がいい。私も屈強な腕でよくガシッと腕を掴まれてキャッチされる。「あにきーあにきー」となれなれしく強引に声を掛けてくる。余程酔っぱらっていなければ付いて行くことはないと思うが、彼らが街に居続けるということは、付いて行ってしまう人がいるということだろう。酔いによる冒険心とは恐ろしい。

ヒモ体質のエジプト人・アイマン

いろんな外国籍の人たちとの関わりはたくさんあるが、まったく日本語が喋れないエジプト人の仲間がいた。

ある日友達から、その筋の人が乗っていたフルスモークで車高も下げてある昔ながらのやくざ仕様のベンツを買わないか、と連絡が来た。私は免許を持っていないし、買い手を探しておくよと適当に話を聞いておいた。

同じ日の夜、別の友達から、エジプトで仲良くなったエジプト人が日本に来ていて、職を探しているんだけど仕事はないか？　と酒を飲みながら相談された。

彼はアイマンという名前で、観光客と付き合ってお小遣いを貰いながら遊んで暮らしているという。バックパッカーをしていた私の友達ともエジプトで友達になったらしい。観光客の日本人女性と仲良くなって結婚まで持ち込んで、ビザを獲得し日本にやってきた。しかし仕事がない。彼女にも家を追い出された、ということで友達を頼ってきたそうだ。

後日、友達は父親のレクサスにモロヘイヤスープをジュースホルダーに入れてやってきていた。なぜかアイマンをうちで働かせるために必死だった。アイマンは、元軍人でエジプト料理が得意、運転が得意なので、運転手に雇ったらどうか？　ということだった。

アイマンは当時のオバマ大統領を一回り小さくしたような雰囲気の、典型的なアラブ人だった。

別々の友達からそれぞれ、こんな珍しいお願いをされることも滅多にない。二つの話をくっつけたらめっちゃ面白いと思い、友達に連絡してベンツを買った。もちろん酔って調子に乗っていた。

アイマンは、初めて私を家に迎えに来る日からまず辿り着かない。彼は日本語ができない、英語はカタコト、そして東京の道も知らない。当然だ。

前途多難だった。が、すぐに彼は会社の仲間になじんでいった。とにかく陽気なのだ。キャラも面白く、身体が動く。雑用などは得意で、壊れたものはすぐに直す。

典型的なヒモ体質だった。

ヒモ体質に国境も言葉も関係ないんだなと教わった。彼は会社の人間をすぐに手なずけた。もちろん私も彼にすぐに手なずけられた。

観光客をたらしこんで結婚したのは実は3回目だった。子供もたくさんいた。そして

3番目の妻からも離婚されそうだった。家を追い出され、うちの会社の寮暮らしになった。

アイマンは、ナビに入れたところにしか行けない。しょっちゅう職質で止められる。さらに軍隊にいたというから激しい運転をするのかなと想像していたが、めちゃめちゃ安全運転で遅い。運転手としては活躍しなかったが、それよりも楽しい仲間が増えて私は嬉しかった。店のボーイの手伝いをさせてもなかなか良い働きっぷりをして、スタッフからも人気だった。お客様の膝にトーションを載せるときは、ポイっと投げて渡す。理由はイスラム教徒だから誰かの彼女に触ってはいけないんだと言っていた。

私は面白がっていろんなところに連れて行った。正月の実家にも一緒に帰り、実家のこたつでアイマンがみかんを食べている姿を楽しんだ。とにかくチャラいのでどこでもナンパしていたし、物怖じもしない。

彼ととんこつラーメンの店に行ったら、めちゃめちゃ美味しいと喜んでいた。次の日、はめたな〜っとにやりとした顔で私の顔を両手で指さしてきた。美味しすぎてまた行こうとネットで調べたそうだ。

それ以来、私のすすめる料理にいつも疑いのまなざしを向けつつ、食べて喜んではしゃいで、次の日ググってはめたな〜というのを繰り返した。私を言い訳にして、戒律で食べられないものを堂々と楽しむことを覚えたようだった。

仲間の父親が亡くなって、静岡まで車で行ったとき、道中、ずっとイスラム教のお経を口ずさんでいた。着いて早々に焼香の列に並んで私は自分が済ませた後アイマンを探した。私の後ろの方に並んでいた。神妙な顔で並んでいた。田舎のお通夜で完全に浮いていた。我々以外もみな彼に注目している。異様な空気だった。前の人の見様見真似で焼香を無事やってのけた。父親を亡くした仲間はそれを見て笑っていた。

社員旅行でグアムに行くことになったとき、アイマンも一緒に行ったのだが入管でアイマンだけストップさせられた。1時間待っても出てこないので、我々はホテルに先に行った。

翌日の朝の集合時間にアイマンが不機嫌な顔でやってきた。何があったと聞くと、「人種差別だ」と憤っている。詳しく聞くと、入管でどこに住んでいるんだ？ と聞かれて、彼は住んでいる寮のアパート名を答えた。そのアパートの名前が「ホワイトハウス」だったのだ。ふざけるな、と怒られたらしい。アイマンは事実だし同じ部屋に住んでいる仲間は通って、なぜ自分だけ止めるんだと怒る。入管の人もオバマに似た小さいアラブ人が日本人の若者たちの団体に紛れてやってきて、ホワイトハウスに住んでいるなんて言えば、止めざるを得なかったのだろう。アイマンは旅行中ずっとふてくされていた。

ある日、アイマンの免許が実は更新日を過ぎていることを知った。アイマンを問い詰めたらアラビア語で書いてあるから絶対にバレないよと、ヘラヘラと言う。そういう問題じゃない、と怒り試験を受けに行かせた。しかし何回行かせても試験に落ちる。毎回人種差別だと怒っていた。アイマンはかなり落胆していた。

アイマンから1回エジプトに帰って免許を取ってすぐ帰ってくると提案された。その交通費を出して欲しいと言う。落胆する姿をこれ以上見たくなかったので、その提案に乗ることにした。アイマンが一時帰国する前日、みんなで格闘技を観に行ったら、アイマンがハンディカメラを持っていた。「思い出ー、思い出ー」とみんなを撮っていた。みんな中指を立ててアイマンの撮影に笑顔で応じていた。コミュニケーションはいつも雑だったが、みな笑顔だった。

大方の予想通り、アイマンは帰ってこなかった。

心に大きな穴がぽっかり空いた。ベンツも二束三文で売った。

それから数カ月後、YO！　なんて軽い感じの書き出しのつたない英語で、アイマンからメッセージが届いた。日本に戻りたいという。つらつらと戻れなかった理由を語っていたが、あのハンディカメラがすべてを物語っていた。元々日本に戻る気はなかったのだ。

しかし、アイマンがいると楽しい、どうにか日本に再び来られるように行政書士に相談した。彼はすでに離婚していたため、かなりハードルが高かった。

　手続きも大変だし、けっこうな額のお金も必要だった。さすがにもうアイマンをお金の面で信用することはできなかった。自力で来いと伝えたが、それからしばらくの間、早く行きたいー、助けてー、というような彼らしい軽い悲愴感を演出するメッセージが送られ続けてきた。

　歌舞伎町は、すぐ許してしまう街だ。アイマンが裏切った思い出より、楽しかった思い出の方が強い。約2年間彼と過ごした日々で、私はまったく英語を喋れるようにもならなかったし、アラビア語も喋れるようにもならなかった。彼も日本語を覚えなかった。

　言葉が通じなくても人と人は仲良くなれるし、騙せることを学んだ。

うちの会社には、初めて飼ったペットが象というタイ人だったり、父親が何人もいるフィリピン人だったり、母親が小学生のときに産んだ日本人だったり、国籍も育った環境もいろんな奴がいる。普通って何なのだろうか？　普通なんて誰かが作った虚像で、それに一生懸命合わせようともがいて苦しんだ被害者、そうなれなくて疎外感を覚えた被害者を生み出しただけなのではないだろうか。高度成長を支えたサラリーマンたちに必要だったのは、本当に普通と言われる環境だったのか？

　多様性を学ぶ。多様性のある社会にしよう。そんな言葉を聞くと、歌舞伎町に来ればいいじゃん。っていつも思う。私は外国人の文化を一生懸命学ぼうとした訳ではない。そりゃ国や人種によって傾向はあるかもしれない。宗教観だって、生活様式だって、文化の違いだってあるだろう。でも歌舞伎町の人たちは、一緒に働きながら、一緒に遊びながら、〇〇人だからって扱いではなく、その人との関係性を作っていく。そんなお互いの数珠繋ぎのような関係が、多様性を自然と生むのではないだろうか。「〇〇人は〜」なんて一括りに構えることが、無個性な集団を生み出してしまうのではないだろうか。

　私はただ、アイマンという軽薄極まりないけど憎めない仲間と2年間過ごしただけであった。

歌舞伎町が教えてくれた「甘えることの大切さ」

エリート高校出身者の無駄なプライド

私が通った高校は、地域では偏差値が一番高い公立校だった。ほとんどの子が中学時代クラスで一番の成績を引っ提げて入学してくる。3年間かけて、多くのエリート校でありがちな井の中の蛙感をそれぞれが味わい、自分は特別じゃないと知り、自分らしさを模索していく。私はラグビーを3年間みっちりやった。勉強はまったくしなかった。だからいつまでも「勉強はやればできる」と思っていた。私を含めて、そう思っていた人間には、勉強の壁に跳ね返された経験をしないまま、いつだってやればできるという甘えが人生に付きまとう。

ラグビー部は同期が60人近くいた。その中でいつも一緒にいたのは8人だった。生徒会に意見を言って８人用の部室も確保して、いつもそこにたむろしていた。大学進学率が99％くらいの高校なのに、８人のうち私は中退、２人が大学に行かなかった。

３人ともやればできるという逃げ道を抱えて、他とは違うんだ俺たちは、みたいなアウトローを気取ってそれぞれの道を歩んでいった。３人は仲間との連絡を絶った。


カッコつけてアウトローの道を選んだのに何者にもなれない自分が情けなくて、悔しくて、恥ずかしくて仲間にどんな顔をしていいかわからなかった。レールから外れたことを後悔していた。他の２人も同じような気持ちだっただろう。それもエリート校で育まれた無駄なプライド育成が邪魔をしたように思う。

私はがむしゃらに水商売をやって、やり切った感覚を得て社会人としての自覚を持ち始めた25歳くらいになってやっと、友達に連絡ができるようになった。みんなも昔と変わらず私を受け入れてくれた。私以外の２人のうちの１人はいまだに誰も連絡が付かなかった。

彼は天才だった。そしてダントツに個性的だった。美術の授業で、初めて描く油絵に筆を一切使わず完成間近まで何を描いているのか彼以外わからないような抽象的な模様を描き、最後の一瞬で、それを静物画に変化させたときは、みな自分の絵をほったらかして彼の周りに集まり感嘆の声をあげた。

美術の先生に本校始まって以来の天才と称され、他の授業中でも美術の先生の部屋で絵を描くことを許されていた。服飾にも誰より詳しく、埼玉の田舎者には理解できないモードな格好をしていた。私たちは毎週彼に東京のショップを案内してもらっていた。ラグビーにおいては、不器用で無謀なタックルが強いスクラムハーフだった。

連絡をしてこない彼の気持ちが、なんとなくわかったから、実家に手紙を出した。会うことを催促するつもりはなく仲間なんだよって伝えたかった。返事はなかった。しかしそれ以上の手段はなかった。それから数年後、私のお店に知り合いが来ていると呼ばれて顔を出したら、彼が数人で飲みに来ていた。

私は、客席にもかかわらず、お客様であるにもかかわらず、彼をひっぱたいた。泣きながら怒った。ごめんよと彼も泣いていた。手紙は読んでくれていた。だから会いに来てくれたのだ。

そこから彼との関係が再開した。彼は三軒茶屋でバーの店長をしていた。美術や服飾の仕事には就いていなかった。そのお店にはちょくちょく飲みに行くようになった。彼の酒量は半端なかった。口では、やりがいを持って生きていると言っていたが、あまりそうは見えなかった。自分の居場所はここじゃない、俺はもっとできるんだ、って思いを隠しきれていなかった。

酔っぱらったときに現状の話などを聞くことがあったが、かなり条件が厳しい状態で店長を任されていた。経営責任を取るフランチャイズのような契約だった。それに振り回されていた。酒量はどんどん増えていった。自堕落な昭和初期の文豪のような態度に対して、ゆるやかな自殺じゃねーかよ、と言うと、無口な彼は、死なねーよ、と言って笑っていた。ラグビー部の仲間と飲みに行くこともあったが、我々と飲むより、今の仲間といるときの方が楽しそうに見えた。それはとても寂しかった。

同じ水商売の人間として偉そうに私はアドバイスしていた。経営的なこともオーナーとの関係のことも。間に入って話そうと何回もした。でも彼は自分でどうにかすると言って私のアドバイスを聞き入れなかった。私には一切甘えてくれなかった。それも寂しかった。

水商売で大事なことは「甘えること」だと私は思っている。

歌舞伎町の飲み屋のオープニングパーティーというのは招待制のお披露目ではなく、お金をしっかりと頂くパーティーだ。お店の創業記念、関係者の誕生日、すべてお金が普段よりも掛かるイベントだ。先輩も後輩も関係なくお祝いに顔を出してお金を払ってお祝いをする。

また、偉いママさんだろうが、売れっ子ホストだろうが、お店に来て貰ったら、奢るなんてことは滅多にない。お客様には甘えるのだ。

そう、水商売は甘える商売なのだ。

私が運営するスマッパグループのミッションステートメントの一つに「問題を解決するのが仲間」というのがある。問題に突き当たると当事者は冷静ではないということを前提にしているが、ホストとお客様との問題は、夫婦間の些細な揉め事のように、他人から見ればくだらないことがよくある。それを解決するのが第三者のヘルプだ。ヘルプとは指名ホスト以外のホストのことをいう。だからどのホストも指名にもなりうるしヘルプにもなりうる。お客様と指名ホストが揉めたら「まーまー」とお客様側、ホスト側両方から話を聞いて、仲裁する。ヘルプがいるから、決裂する恐れなく言いたいことが言い合えるということでもある。

ホストクラブではヘルプという存在が非常に重要で、信頼されるヘルプになるということこそ、ホストクラブで仕事ができる。と言われることだ。お客様側から見れば指名ホストとの関係だけでなく、ヘルプとの関係性もホストクラブの楽しみの一つだ。

指名ホストは、堂々とヘルプに甘えるのだ。お客様に言いたいことを言って、後は任せた。とか、今日はこれくらいの売上を上げたいからお願い。とか、〇〇ちゃん機嫌悪いから機嫌直ったら呼んで。とか、俺の代わりにアフターに一緒に行ってあげて。とか、挙げたらきりがないくらい当たり前にヘルプにお願いする。先輩後輩関係なく遠慮なくお願いする。そして率先してヘルプはその仕事をする。それがホストクラブの文化だ。

蝕まれる身体も省みず、彼は飲み続けて死んだ。天才には生きづら過ぎる社会だった。社会を受け入れることも、自分を受け入れることもずっとできなかった。

友達って何だ？ 仲間って何だ？ 甘えられなくて友達と言えるのだろうか。大事なかけがえのない高校時代のほとんどの時間を共に過ごした。お互いに影響しあった。死に物狂いでラグビーの練習をして、試合に勝って泣いて負けて泣いた。一緒に怪我をして一緒に筋トレをした。常に一緒だった。

でも私には甘えてくれなかった。甘えさせることができなかった。

彼の実家に親御さんに呼ばれてラグビー部の仲間と一緒に行った。染みだらけになった、15年前に私が彼に送った手紙を見せてくれた。机の中に大事に取ってあったという。

だったら何で頼ってくれなかったんだ。悔しくて涙が止まらなかった。

仲間の一人が言った。

「俺にはわかるよ。友達だから対等でいたかったんだよ。隣を一緒に歩いていたかったんだよ。友達だから」

やはり私にはわからない。私は歌舞伎町に慣れ過ぎたのかもしれない。

私はたくさんの歌舞伎町の仲間に助けられてきた。お客様、一緒に働く仲間たちに甘えて生きてきた。今でも甘えまくっている。

私は歌舞伎町に助けられたんだ。

私は歌舞伎町で甘える力を身に付けたんだ。

1人で生きていくことなんて絶対にできなかった。歌舞伎町で長く働くということは甘え上手になるということなのかもしれない。だから私は今も生きていられる。

エピローグ

拝金主義という強さ

コロナ禍と家賃

コロナ禍において、グループ店舗のうちの1軒である、換気が悪い地下の小さなスナックを解約した。ビルに換気設備のお願いをしたが断られ、なかなか営業再開はできず、家賃も下がることはなかった。

私は再三、行政にも振興組合にも、意識改革をすべきはビルオーナーだと訴えてきた。マスコミから吊るしあげに遭っている飲食店は、店と従業員を守ろうと必死だ。緊急事態宣言明けにみな慣れない出前やランチを始めたりして、赤字だろうがもがいていた。しかし家賃が下がることはない。家賃支援給付金の政策はかなり遅くに発せられた。それまでほとんどのビルオーナーは家賃を下げることはなかった。家賃を下げなくてもせめて一緒に感染症対策を考えるくらいのことはできたはずだ。

ここ数年、歌舞伎町の家賃は高騰し続けていた。空き物件がほとんどない状態だった。路面店にはインバウンドや一見さん目当てのチェーン店など資本が大きいところが軒並み面《つら》を並べた。低コストで高回転の店でなければ経営が成り立たないほど家賃は高騰していた。路面店じゃないとしても、家賃は高騰し、社交飲食店、性産業のような客単価の高い店か、さらには違法店しか入れない状況だった。『歌舞伎町・ヤバさの真相』の言葉を借りれば、「街自体がぼったくり構造」になっていた。

１１１ページに書いた通り、現在の歌舞伎町のビルオーナーはオーナー業に徹している人がほとんどだ。どんな店を入れることが魅力的な街になるのか？　を考える前に商売人として高騰する家賃を煽りつつ、選ぶ店舗は安全を担保しやすい無個性のチェーン店ばかりだ。

コロナ禍で真っ先に閉店に追い込まれたのはそういうチェーン店だ。

コロナ禍初期、歌舞伎町商店街振興組合の会議において、同組合ビルの家賃に関しての話し合いがあった。組合員はほとんどビルオーナーばかりだ。どのテナントからも家賃の引き下げの要請があり、それをどうするか？　というものだ。理事長を筆頭に幹部たちは、財政に余裕がある振興組合としては要請を即座に受け入れるつもりであった。

しかし数名の組合員から、振興組合ビルが早々に家賃を引き下げれば、それが街のスタンダードになってしまい、他のビルの家賃も下がってしまう。率先して下げるべきではないという意見があった。

借りる側も貸す側も商売人。歌舞伎町らしいと思った。それから数カ月後、街に客足が戻らない状況で、再びコロナ対策会議で出た意見はさらに歌舞伎町の強さを表す言葉だった。

「このままだとみんなビルから出て行ってしまって、ピンク系の店ばかりになってしまいますよ」

そうやって、歌舞伎町は成り立ってきた。歴史は繰り返す。

拝金主義が生んだ大らかさ

戦後、鈴木喜兵衛は道義的繁華街にしようと、街を大きく捉えて理想論を追い続け、街の人間のリアルとの乖離が生まれてしまった。藤森作次郎は喜兵衛に補佐役を期待され一角の土地を引き受けたが、当初喜兵衛に協力せず己の商売に集中した。

喜兵衛が極貧を余儀なくされている頃、進駐軍の慰安施設で儲けた作次郎を街の人は米軍太りと陰口をきいたが、彼は一向に気にかける風でもなく、男の価値は事業の成功不成功で決まる、と言いきった。

「後ろ指さされたって背中に目があるわけじゃないんだから、気にかけず前だけ向いて生きなさい」というのが作次郎の口癖だったそうだ（『新宿歌舞伎町物語』より）。

昨今の、より強みを増したように思われる資本主義のセオリーに則ったような態度だ。これが戦後から続く歌舞伎町のリアルだ。喜兵衛ではなく作次郎を歌舞伎町の住人はリーダーに選んだのだ。

その清濁併せ呑む拝金主義が、ある意味平等で誰でも受け入れる、あらゆる産業も許す土壌を作っていったのだ。

鈴木喜兵衛は文化の街にしようとしたが、現実には入れ替わりが激しい性産業を中心とした拝金主義の街になっていった。

２００３年の歌舞伎町浄化作戦で空きテナントが増えた後の２００５年、行政と街で歌舞伎町ルネッサンス憲章を掲げ、文化で復興を試みたが、箱型ヘルスはデリバリーヘルスに形を変え、地方からぼったくり軍団がやってきたり、半グレ集団が蔓延《はびこ》ったりした後、ホストクラブが基幹産業になっていった。

ルネッサンス憲章には、こんな言葉がある。

「新たな文化の創造を行い、活力あるまちをつくります。①健全な歓楽街を目指し、24時間３６５日誰もが楽しめるまちにします。②映像・演劇・音楽など最先端の情報、文化を世界に発信するまちにします。③世界の人達の交流の拠点となり、多文化が共生するまちをつくります。」

誰が誰に向かって言っているのであろうか。

かつての私のように、歌舞伎町の住人で歌舞伎町を愛している人間はほとんどいない。

そしてビルオーナーはほとんど歌舞伎町にいない。

ここにあるのは、わかりやすい拝金主義だ。

歌舞伎町に名刺は関係ない。大金を使う人間が正義だ。だからドライに生きていられる。

その構造をどの立場の人も、当たり前のように支えて、この街は成り立っている。

文化など醸成される訳がない。

そんな街だからこそ私はいられた。

歌舞伎町はどうなっていくのだろうか。

私にはわからない。誰かがどうにかしようとしてどうにかなる街ではない。でもそこに喜兵衛の思いは残っていないのだろうか？

文化のない歌舞伎町のこれからの文化

去年、振興組合の理事長がどうしてもクリスマスイベントとしてシネシティ広場でスケートリンクをやりたいんだ、と組合の理事会で強く語っていた。２０２２年に新たにミラノ座跡地に東急のビルが建つ。スケートリンクは東急と話をして一緒に計画したものだ。試算表を見ても採算が取れないことは火を見るより明らかだった。理事長らは損をしてでもやる覚悟であったので、私は特に深く考えず協力もできず見て見ぬフリをしていた。そして、予想通り盛り上がることはなく終わった。しかし今回、新宿の歴史を調べていて驚いた。1956年に東急が喜兵衛らと作ったアイススケートリンクが若者たちを歌舞伎町に集めるきっかけになったそうなのだ。

理事長は喜兵衛の思いを忘れてなんかいなかった。それをこれからビルを建てる東急と再び行うということは、両者にとって、喜兵衛の思いを繋いでいこうという強い意志の確認だったのだ。

東急もビルが建っていない現在から、トークイベントを開催したり、歌舞伎町のツアーをしたり、文化の見直しをしながら新しい文化のための下地を作ろうとしている。大きなライブハウスや劇場も東急のビルにはできる予定だ。私と同世代の振興組合の柴本新悟は、歌舞伎町のライブハウスを繋ぐサーキットイベントを1年に一度開催して音楽の要素を歌舞伎町にも強めようとしている。小さなＤＪバーなどが以前よりも増えているように思う。

戦後の闇市の一つにラッキーストリートというものがあった。コロナ禍においてゴールデン街で、沖縄の米軍基地や福島の限界区域の廃材で内装を作った「ラッキー」という店を作った男もいる。言論の場になることだろう。

インテリの台湾人経営者たちが名曲喫茶を作って一大ブームを起こしたことだってあった。

今後の歌舞伎町は振興組合の方が危惧するように、今までのようなチェーン店を入れることは難しくなっていくだろう。そうなればピンク系の店や怪しいが逞しい店が増えていく。そこには確実に人が集まるだろう。

振興組合のかじ取りはこれから大事になっていく。

どんな文化が形成されていくか、私は楽しみだ。

私も、鈴木喜兵衛の思い描いた道義的繁華街を歌舞伎町の「一部分」として作ることができたらいいなと思う。それは歌舞伎町の未来の礎になるかもしれない。

そんな歌舞伎町の歴史の一部として生きていきたい。

おわりに

「誰にとっても家が安息の地なのか」

陽気に踊って芸能人たちが、ステイホームの楽しさをアピールしていた。偉い人は優雅に犬を抱きながらソファーに座りリラックスタイムを促していた。

家で歌えない人も、ゆっくりできない人もいる。

マクロの視点で考えれば、家にいたくない人のことは放っておいて大多数の人が家にいることで、感染拡大を止めることになるのはわかる。

それは偉い人が考えてくれ。

私は、家にいたくない人、家にいられない人に思いを馳せる。

決して開き直って、自分のことだけを考えたっていいと言っている訳ではない。

そういう人もいるのが社会だということだ。

この本は、家にいられない人の物語。歌舞伎町が居場所の人たちの物語だったんだ。

自分らしくいられる場所が、家じゃない人はたくさんいる。人との関わりでしか自分を確かめることができない人もたくさんいる。

社会には、良い人も悪い人もいる。できる人もできない人もいる。

誰だって、元気なときもある。落ち込んでいるときもある。自分じゃどうにもできないときもある。助けて欲しいときもある。

綺麗に線引きなんてできない。

1人1人として、この街で、立っている。

＊武岡暢さん、渡辺祐真さんは、草稿に目を通して助言をくださいました。また、幻冬舎の竹村優子さんにお世話になりました。感謝いたします。（2020年10月30日　手塚マキ）

参考文献

石井光太『夢幻の街』KADOKAWA、2020年

稲葉佳子・青池憲司『台湾人の歌舞伎町―新宿、もうひとつの戦後史』紀伊國屋書店、2017年

尾津豊子『光は新宿より』ケイアンドケイプレス、1998年

歌舞伎町商店街振興組合『歌舞伎町の60年　歌舞伎町商店街振興組合の歩み』歌舞伎町商店街振興組合、2009年

木村勝美『新宿歌舞伎町物語』潮出版社、1986年

佐々涼子『駆け込み寺の男　玄秀盛』ハヤカワ・ノンフィクション文庫、2016年

新宿区『新宿時物語　新宿区60年史』東京都新宿区、2007年

武岡暢『歌舞伎町はなぜ〈ぼったくり〉がなくならないのか』イースト新書、2016年

立川談志『酔人・田辺茂一伝』講談社、1994年

田辺茂一『わが町・新宿』旺文社文庫、1981年

田辺茂一『夜の市長　田辺茂一コレクション』北溟社、2006年

橋口敏男『新宿の迷宮を歩く　300年の歴史探検』平凡社新書、2019年

堀江朋子『新宿センチメンタル・ジャーニー[私の新宿物語]』図書新聞、2017年

本間健彦『60年代新宿アナザー・ストーリー』社会評論社、2013年
溝口敦『歌舞伎町・ヤバさの真相』文春新書、2009年
李小牧『新宿歌舞伎町アンダーワールドガイド』幻冬舎アウトロー文庫、2007年

NexTonePB000050869号

「渋谷では暴動が起きて、新宿では起きない理由」と
「歌舞伎町は本当にぼったくりが多いのか?」は、
Forbes JAPAN(https://forbesjapan.com/)に
掲載された記事に加筆・修正したものです。

著者略歴

手塚マキ《てづかまき》

歌舞伎町でホストクラブ、バー、飲食店、美容室など
十数軒を構える「Smappa! Group」の会長。
歌舞伎町商店街振興組合常任理事。JSA認定ソムリエ。
一九七七年、埼玉県生まれ。川越高校卒業、中央大学理工学部中退。
九七年から歌舞伎町で働き始め、ナンバーワンホストを経て、独立。
ホストのボランティア団体「夜鳥の界」を仲間と立ち上げ、
深夜の街頭清掃活動を行う一方、NPO法人グリーンバードでも理事を務める。
二〇一七年には歌舞伎町初の書店「歌舞伎町ブックセンター」をオープンし、話題に。
著書に、『自分をあきらめるにはまだ早い』『裏・読書』
（ともにディスカヴァー・トゥエンティワン）、
『ホスト万葉集』（共著、講談社）がある。

幻冬舎新書 604

新宿・歌舞伎町
人はなぜ〈夜の街〉を求めるのか

二〇二〇年十一月二十五日 第一刷発行

著者 手塚マキ
発行人 志儀保博
編集人 小木田順子
編集者 竹村優子
発行所 株式会社 幻冬舎
〒一五一-〇〇五一 東京都渋谷区千駄ヶ谷四-九-七
電話 〇三-五四一一-六二一一(編集)
〇三-五四一一-六二二二(営業)
振替 〇〇一二〇-八-七六七六四三
ブックデザイン 鈴木成一デザイン室
印刷・製本所 株式会社 光邦

Printed in Japan ISBN978-4-344-98606-0 C0295
て-5-1
幻冬舎ホームページアドレス https://www.gentosha.co.jp/
*この本に関するご意見・ご感想をメールでお寄せいただく場合は、comment@gentosha.co.jp まで。

幻冬舎新書

村田らむ

ホームレス消滅

東京は２０２４年ホームレス「ゼロ」宣言を、大阪は２０２５年の万博に向けて日雇い労働者の街を再編。はたして彼らは〝消滅〟させられるのか？　ホームレス取材歴20年の著者がその答えに迫る。

斎藤環

中高年ひきこもり

40〜64歳のひきこもりは推計61万人。家族の孤立、孤独死・生活保護受給者の大量発生等、中高年ひきこもりはいまや日本の重大な社会問題だ。ひきこもりとは何か。何が正しい支援なのか。第一人者が解説。

中村光博

「駅の子」の闘い

戦争孤児たちの埋もれてきた戦後史

戦争で親を失い路上生活を強いられ、「駅の子」「浮浪児」などと呼ばれた戦争孤児。戦争が終わってから始まった、彼らの壮絶な闘いの日々とは？　日本中が慟哭したＮＨＫスペシャル、待望の書籍化。

伊藤賀一

47都道府県の歴史と地理がわかる事典

各都道府県の歴史・地理をコンパクトながら深掘り解説、経済活動や伝統文化等に加えて、全都道府県に足を運んで集めた「鉄板ネタ」「地雷ネタ」まで盛り込んだ、読んで楽しく役に立つ画期的な事典。

幻冬舎新書

米澤泉

おしゃれ嫌い

私たちがユニクロを選ぶ本当の理由

ユニクロが〝見た目の競争〟を終わらせた。誰もが服に余計なお金も時間も使いたくない。誰も指摘してこなかったユニクロのメッセージと消費の変化を気鋭の社会学者が鮮やかに読み解く。

丹羽宇一郎

人間の本性

古今東西の哲学者は「人間とは何か」を探求し続けている。この深遠な問いに対し、伊藤忠商事元会長、元中国大使で稀代の読書家でもある著者が、その豊富な人生経験から考察した一冊。

森博嗣

悲観する力

成功したいなら、悲観せよ！——ポジティブ・シンキングにはなんの意味も価値もない。豊かな社会ゆえの楽観を排し、人間に決定的に不足する「エラーの想定＝悲観」の有効な技術を伝授する。

坂口孝則

未来の稼ぎ方

ビジネス年表2019―2038

この先の20年で儲かる業界とそのピークは？〈エネルギー〉〈インフラ〉〈宇宙〉〈アフリカ〉など注目業界の未来を予測し、20年分のビジネスアイデアを網羅。時代の本質を見極める一冊。